D1028710

PARRANDA

EDUARDO BLANCO-AMOR

Itzulpena: Ramon Etxezarreta

IGELA ARGITALETXEA

Liburu honek Eusko Jaurlaritzaren laguntza jaso du
Itzultzaileak 1989ko itzulpenerako
beka bat jaso zuen lan hau burutzeko
Liburu honen izenburua galegoz: *A ESMORGA*

Edizio-lana: Koldo Izagirre eta Xabier Olarra

4065 p.k. 31008 IRUÑEA
ISBN: 978-84-943560-8-7
L.G.: NA-1910/2015
Inprimaketa: ITXAROPENA Argitaldaria,
Araba kalea, 45 20800 ZARAUTZ

DOKUMENTAZIOA

Ni mutil koskorra nintzela, oraindik ere jende zintzoak hitz egiten zuen gertatutako hartaz Aurian, nire jaioterri eta gertaeren hirian. Era askotara kontatzen zuten baina amaieran bakarrik egiten zuten guztiek bat, gauza nola bukatu zen esaterakoan, alegia.

Gerora, gazte ia eta idaztera tematu nintzenean, garai hartako jendearekin hitz egin nuen, batzuei eta besteei galdezka ibili nintzen eta paper artean arakatu eta Zaldunen Kasinoan saguek janda bezala, nahaspilatuak, aurkitu nituen hiriko boletin zaharrak irakurri nituen. Kasinoa "indar bizien" eta tratalari maragatoen biltokia zen baina, tresillo eta museko jokalari sutsuak izaki, ez ziren hauek historia edo literatura bihur zitezkeen herriko kronikak irakurtzeko batere zale, ez eta gauzak bildumetan jaso eta gordezaleak ere, beren kontabilitateak eta espedienteak izan ezean behinik behin.

Banuen osaba bat, Epaitegiko "ministroa" zena –orduan halakoxe izen tristez esaten zitzaien aguazilei– eta gai honi buruz inoiz hitz egin nahi izaten ez zuena, ez bere kabuz behintzat, bera izanik, zalantzarik gabe, bizien artean hartaz gehien zekiena. Mutiko nintzen bitartean ez zidan ezer esan nahi izan baina ez zitzaiola arrazoirik falta jabetu nintzen gero. Gazte zentzudun ikusi ninduenean, beti liburutzarrekin tratutan ibiltzen nintzela –nire gurasoek zurginen gremio jatorrera bideratu nahi baninduten ere– eta señorito estudianteekin ibiltzen nintzelako edo, orduan ez beste inoiz hasi zitzaidan, hiru parrandari ospetsuen historia tamalgarria nahiz eta alditan irriz kontatua, berak entzuna eta ikusia pixkana-pixkana kontatzen, ondareari uko egiten dion jabearen moduan.

Zaharkitua zegoen orduko osaba, eta memoriak ere huts egiten zion. Gainera, biztotelduta zegoen adinaren eraginez, urte askoan taberna eta tertulietan hizketari aparta eta preziatua izan ondoren. Makina bat pitxer ardo ordaindu behar izan nion, eta koparen bat edo edo beste, hizketarako gogoa eta adorea emateko. Horretarako, Granxako bidera eramaten nuen askotan, neguko arratsaldeetan eguzkia hartzera, bertako ardoaren usainak erretiratuen melankolia leuntzen baitzuen hango tabernetan. Sakrifizio hauek nire gain hartuz gertakarien alderdi bizia jakin eta ezagutu nahi nuen, hain zuzen ere auziaren paper ihartuek, beren prosa loti eta jakineko egia desitxuratzeekin, ez zidaten aski ematen herriko kontuek beren ohiko fantasia eta guzti soberan ematen zidatena.

Urregoraize *jostunarekin egon nintzen gero. Jostuna zen hau ere bere aita bezala, irakurleak aurki ezagutu eta –gustu guztiak berdinak izango ez badira ere– bizitza osorako gorroto izango duela uste dudan* Milagizon *jostunaren lankide izana. Aita, zahardadean, kasu honi buruz atertu gabe hitz egiten aritzen omen zen. Hogei edo hogeita hamar modu ezberdinetan kontatzen zuen nonbait –kontaketarakoan jotzen zion umorealdiaren arabera– baina betiere grinaz eta hain gozoz gertakizun haietan protagonista izan bailitzan eta ez garaikide, garaikide hutsa alegia, berrogeita hamar urte lehenago gertakari haiek ezagutu zituzten beste asko bezala –nire herrian jendeak amaierarik gabeko temarekin jarraitzen baitu–. Bigarren eskuko edo, hobeto esanda, bigarren hariko testigantza haiek susmagarriak iruditu zitzaizkidan oso; irudimen eta xehetasun gehiegi erakusten zuten, jostunen testigantza guztietan gertatu ohi den legez, ofizio egonzaleak ematen dien apaingarrietarako eta ederkeria joeraren ondorioz.*

Horrela bada, neure kasa batetik eta bestetik, edo izaera sumatuetatik, jasoz, hasi naiz kronika hau idazten orain, hain dokumentazio hauskorra jaso nuenetik ia berrogei urte eta gertakizuna bera izan zenetik ia laurogeita hamar igaro direnean. Horregatik, gertatutakoaren egiarekin izango du akatsik, idatzi hau jakinean atxikitzen zaien formula errealista guztiei gertatu ohi zaien bezala, eta egileak aurrez onartzen ditu adierazpen hori dela eta ondorioztta daitezkeen irain eta laidoak.

I. KAPITULUA

—Ez, jauna, ez zen horrela izan, ulertu dudana asko izan ez bada ere, irakurri didaten paper horretan dagoen bezala, ze paperek gainean jarritako guztia eramaten dute. Hemen, gizonak, asko korritzen zuen irakurtzen, eta, gainera ez gaude gazteleraz irakurtzen aditzera ohituak, hemen ez baitugu hori hitz egiten; eta señoritoa ez den bat horrela hitz egiten hasten denean kastrapoz hitz egiten duela esaten dugu... Baina, hala eta guztiz, ez zen horrela izan guardia zibilak, izeba Motxailek edo sulsunkordiak esaten badu ere, berorren aurpegiaren premisoarekin. Ez gauzen hasieraz, ez ondoren gertatu zenaz, ez akaberaz inork ez daki, inork ez baitzuen ikusi, edo ikusi bazuten ez ziren konturatu, ikustea baita bat eta konturatzea bestea.

—

—Ni, esan nuen bezala, eta hor ez zuten apuntatu, neure lanera nindoan. Neure lanera nindoan, hala eraman nazala Jainkoak, inoiz neure etxetik edo Pinttoarenetik, horretarako bata bezala bestea berdintsu denez, ez nintzela atera, orduan adinako lanerako asmoarekin. Larunbatean obretara joan zitzaidan bila Pinttoa eta baketu egin ginen, beragatik, ondo maite baitut, eta, batik bat, txikiagatik, lau urte bete behar ditu eta, argia da eta ulertzen ditu bizi honetako kontuak... berarekin lo egin nuen larunbatean eta igandean, premia ederra ere baneukan eta, ze emakume asko dago, baina hura bezalakorik, niretzat behintzat... Hura eta bestea, hainbeste jardun zidan... Halakoxe hotza egiten zuenez eta estuturik lo eginaz, entzun beste erremediorik ez nion, eta gainera, arrazoia zeukan... Hainbeste jardun zidan, beste emakumerekin, amarekin ezik, pasatu ez zitzaidana pasatu zitzaidan, negarra erakarri zidan, amak negar eginaraztea ez da lotsa gizon batentzat. Eta hitzetan arrazoia edukiz bukatu zuen, bere haragietako mamietan beti eduki duen bezala, ni beragandik luzaro bereizi ezineraino, nahiz eta Saiheskik, berea ondo jakin arren, asko egin... Pinttoak, horretaz gain, badu zerbait hitz egiteko moduan, belarrian maliziatsu husten duena eta aldietan hats soila dela dirudiena... Eta bere buruaz hitz egin zidan, eta sapagorriaz, eta mundu kabroi honetako gauzez, berorren aurpegiaren premisoarekin...

Zeren, gizon batek eta emakume batek elkarrekin etzaten direnean gertatzen direnak paseak zeudenean, eta gazte zarenean gauzak behin eta berriro egiten dira, eta beste bat eta behar diren guztiak gehiago, hilabetetik gora baikeneraman juntadizorik gabe, ba, pixkana-pixkana zer egin ez dakizula geratzen zara, ahituta bezala, emakumearen besoetan. Besteekin denean, agudo alde egiten dut zeren kiratsu jartzen direla iruditzen zait eta apo usaina dutela, berorren baimenarekin. Baina Pinttoarekin oheko epelean gelditzen zara eta mutiko bihurtzen, bere titiartean ezkutaturik, hain zabala eta ederra daukana, zeure ama balitz bezala, nahiz eta neu baino gazteagoa izan...

Gainera nahiko baino gehiago arrazoi zuen. Haurrak ez zeukan jaiotzearen errurik eta ezta bere ama urdanga eta bere aita mozkorra izatearenik ere... Mozkorra baina ez golfantea, gauzak diren bezala esan behar dira... Han zegoen gizajoa ohe ondoan trapu pila eta estalki zahar artean bildurik. Nire beharrak egitera joateko kandela piztu nuenean, begiak zabalik zeuzkan, bere amonak bezalako bihurriak eta urdinak zeuzkan, eta irribarre bat bota zidan. Lo hartuz eta esnatuz zegoen, eraman nizkion erroskillak tartean behin hozkatuz. Berriro jaiki behar izan nuen han zebilkion sagu bat uxatzeko, eta sutontzi ondoan berotzen geneukan azukre eta erromerodun ardo hartatik zurrutakada bat eman nion. Haietako batean hau ere esan zidan inozoak:

—"Zergatik jotzen duzu ama?"

—"Nik ez diat jotzen. Zergatik esaten duk hori?"

—"Negar egiten duelako, isilean negar egiten entzun diodalako". Mutikoek dena igartzen dute, argia bezala iluna... Eta esan nion:

—"Beno, lo egin ezak...". Eta hotzak al zegoen galdetu nion. Eta, jauna, ba al daki berorrek zer erantzun zidan?

—"Zu etxean zaudenean ez naiz hotzak egoten, nahiz eta ohean ez egin lo...". Zeren nire mutikoa oso da argia, eta batzuetan mamiak ere urratzen dituzten gauzak esaten ditu, neuk ere, horrela, jende nagusiak bezala, hitzik egingo ez balu nahi izateraino. Mariezteneк askotan esana nauka guztia amaren erakutsia dela ni biguntzeko; baina ez da egia zeren ni haurra nintzenean ere horrelakoxe ateraldiak omen nituen. Zeren Lisardiño nirea...

—

—Bai jauna, bai; banator harira. Kontua jarraitzen bestetan ez naiz ari, hala ematen ez badu ere. Gizonen bizitzan, nahiz ni bezalakoenean, ez duzu dena barrabaskeria, gauzek beren hasiera behar baitute, eta askotan ikusten dena ikusten ez denetik ateratzen da, eta guztia esan behar da, begiratu batera asuntokoa ez badirudi ere... Ba gaiari helduz, kontua da Don Pepitok, medikuak, zera esan zidala, Pinttoak zeukan gaitza, nahiz eta asko nabarmendu ez, zaintzen ez bada elbarrian buka daitekeen horietakoa dela eta berari lagundu beharra neukala kontuak okerrera jo ez zezan... Berari eta semeari, bestela Miserikordiako monjetara eraman beharko genituela, nondik gutxira denak zimel-zimel eginda ateratzen diren. Eta batek, arimako gibelak aski handiak izan arren, ez du umea egiten simaurretara botatzeko, berorren aurpegiaren baimenarekin, eta, ilunpe haietan dekomisoko ogi gogorrarekin ur beroa irentsiz eta justiziatu beharko balituzte bezala abemariak furfuriatuz, edukitzen dituzten bezala edukitzearen poderioz odoleko alegrantzia zurrupa diezaioten. Ene txikia!

—

—Bai jauna, bai, jarraituko dut. Utz iezadazu patxada pixka bat hartzen zeren honen zerarekin... eztarria korapilatzen zaio bati... eta... Beno, ba, esan dudan bezala, ni ez nenbilen parrandan, ez baitzen hura, bezperakoaren segizioan ez bada, parrandan ibiltzeko ordua. Ni neure lanera nindoan, errepide berriko obretara. Bosten bat hilabete neramatzan han, udatik, obrak Alongos aldean zeudenetik. Esana dut hau, mundu guztiak baitaki eta ez daukat berriro zer esanik. Jornal ona ateratzen dut; egun bat bestearekin sei erreal, eguzkitik eguzkira harri pikatzen, badaude lan okerragoak eta ez naiz kexatzen... Txikia zela eta Monfortinaren etxetik alde egin zuenetik Pinttoa bizi zen etxe zaharra, gurasoetatik etorri zitzaion tratuan hasi zenean saldu zituen lur batzuekin. Mariñamansa baino harantzago dago, beraz ilunpetan atera beharra neukan handik goizeko zazpietan Ervedelon, zuk esaten didazun bezala, errepideko obran ari diren tokia, han ari bainaiz lanean, diputatua pasatu ahal izateko, hauteskunde aitzakian datorren hilean omen dator eta, korrika eta presaka jasotzen ari diren zubian egoteko... Pintto gaixoak artean, hemen, zintzurra berotzen zidan baratxuri zopa prestatu zidan; atera nintzenean eta gorputz osoa harrapatu zidan goizeko freskurarekin topo egin nuenean, nire barruan bero neukan gauza bakarra zopa sentitzen nuen, alajainkoa! Gau osoan izotza egin zuen eta lokatza gogortua zegoen gurpil arrastoetan, errepideak harrizkoa zirudien putzuzuloak beira lodizkoak balira bezala, gainean ibil zitekeen, bazterretako belarretako ihintzak ere distira botatzen zuen lurpetik argia baletorkio bezala, artean ez baitzen ezer ikusten.

Hanketako juntura guztiak harrapatzen zizkidaten ospelekin hauts egindako hankekin nenbilen, berorren baimenarekin, eta kolpetik min ematen zidaten txokoloek bideko kozkorrekin topo egiten zutenean, horrela, belarretatik joan beharra neukan, nahiz eta samurra ez egon, izoztutako lokazti hura baino samurragoa baitzegoen. Hankez aparte Pinttoa zoparen piperrarekin nahastu egin zen eta dena mina jarri zuen, horrela urdaila berotik errera igarotzen zitzaidan… Honekin guztiarekin eta halako joketan igarotako gauarekin, jenio guztiz txarrean nindoan lanera, eta pare bat basoerdi txuritarako taberna irekiren batekin topo egiteko unea noiz iritsiko, ze, nahi dutena izango naiz, baina ez dozena erdi bat *uxualekin*, bertako pattarrarekin alegia, gosaltzen dutenak bezalakoa.

Pixka bat joan, eta Ziraunarena esaten dioten ostatura ia iritsi nintzenean, eguraldiak epeldu egin zuen, ia kolpera, hegotik altxatzen ari zen lainoarekin, beltza nire bekatuak bezalakoa, baina lagunaren etxetik ateratzean aurpegia aurrez jo zidan labanazko hotz hura baino eraman hobekoa. Zeru goian, orain pixkanaka argitzen ari zena, nagikeriaz bezala, belztutako lainokera altxatzen ari zen eta eguraldia trumoia jotzera zetorrela nabaritzen zen. Laneko eguna izorratzera zihoakidala ikusten nuen, baina ez neukan baliozko izan nezakeen aitzakiarik obretara ez joateko, bestetan edozein aitzakiari heltzen nion bezala. Oraingoan arrastaka bederen joan egingo nintzen emandako hitzari eusteko… Kapatazari egun horretarako beste txapuza bat eskatuko nion txaboletan, asuntoa, konplitzea baitzen, eta gainera errementaritzan eta harri-zulatzaileen pistoletak sartzen, pikatxoiez eta gainerakoez ere badakit zerbait.

Beraz, eskuak zamarraren patriketan sartu eta hortzak estutuz, txokoloetan itsatsi bezala askatu egiten zitzaizkidan ospel madarikatuengatik, eta areago elur arantza bat banerama bezala erretzen zidan urdailagatik, neure bidean jarraitu nuen kuraiaz. Honetan nindoala, "langileen bizimodu zakurrean" pentsatuz, orainaldian egiten diren eta "mitinak" esaten zaien laneko juntadizo horietan Serantesek esaten duen bezala, eta ez du arrazoi faltarik, obretako arotz bat besterik ez bada ere, laino artean, han, kamino parean dauden zumar lodi haietako batean ezkutatu edo egin nahi zuten bi itzal ikusi nituen. Baina ez zen horrela izan, zeren batek pospoloa sutu zuen zigarroa pizteko, eta hanken paretik ere kea zerion, horregatik pentsatu nuen, berorren aurpegiaren baimenarekin, arbolaren kontra piza egiten ari zirela, ez dakit bestela zertarako hainbeste disimulu ez baitzen ageri arima bizirik inguruetan, edo agian nahiz eta inork ere ez ikusi horrela egitea delako gizonezkoen ohitura egiten zuten. Beraz, neu ere zigarroa xehatzeko gelditu nintzen eta handik aldegiteko denbora eduki zezaten, zeren ez baitut atsegin aurpegia behar bezala erakusten ez duen jendearen aurrean pasatzea eta, ez eta ere, fidagaitz edo beldur izango banintz bezala bidetik okertzea ere. Eta aurrera egin nuen poliki-poliki txiskeroari eraginez han nengoela kontura zitezen, nahiz eta seguru nengoen ikusia nindutela, edo entzuna ferratuta dauzkadan txokoloen trikili-trakalagatik, eta areago errepide erditik abiatua nintzelako... Eta orduan atera ziren bi gizonen itzalak enborretik eta nigana etorri ziren korrika eta brinkoka, bi mamuren antzera, manta bat buruen gainean, lau hankak bakarrik ikusten zitzaizkiela. Berehala sumatu nuen ezagunen batzuen txantxaren bat izango zela, baina, bai ala ez, eskua labanan tinkotu eta gelditu egin nintzen. Nigana iristean manta erortzen utzi zuten, barrez lehertuz eta Ahohandi eta Milagizon zirela gertatu zen.

—

—Bai, jauna, bai; berberak. Hor paperetan dauden Juan Fariña eta Eladio Vilarchao, Ahohandi eta Milagizon gaitzizenez, horrela ezagutzen baitugu guztiok elkar hemen, eta inor mindu gabe, zeren Xan eta Aladio edozein izan daitezke, baina Ahohandi eta Milagizon direnak bakarrik izan daitezke, ni Cipriano Canedo izan eta Cibrán edo Castizo deitzen didaten bezala, zeuk gustuko duzun bezala, zeren nire aitak txerrapo bat zeukan zerramen lanak egiteko, zeure baimenarekin... Ezkabiatxo edo Txapelustel ere deitzen didate, umetan pasa nuenean mutildu arte iraun zidan, eta txapela oso sartua erabiltzen nuen.

—

—Ez, jauna, ez; hobeto ulertzeko bestetarako ez zen, zeren konturatzen ari naiz berori ez dela hemengoa...

—

—Ez, jauna, ez; ez da axola ez zaidalako, berorrek uler nazan baizik, zeren kapataz bat izan genuen, murtzioetakoa zena eta bere hizkeran hitz eginda ere ez genion elkarri ulertzen... Harira joanez, bada, Xanciño Ahohandi, edo Alifante, edo Zezenbular, eta Aladio Milagizon, edo Harijale, edo Zazpiator, edo Marikallas ziren, hemen ere berorrek gustukoen duena, hemen denok baitugu non aukeratua... Etorri eta inguratu egin ninduten barrez eta saihetsak ukabilez kilimatuz, eta Milagizonek hankartea atximurkatzen zidan, duen ohitura putan, manta neure gainera bota nahian. Kakoren tabernan utzi nituen, bi egun aurretik, larunbatean, Auria eta inguruetan parrandari guztien artean hain sonako egin ziren parranda haietako batean, halakoetan hasi eta ez baitzuten bukatzen leher eginda erori artean, kaletzar eta herriz kanpoko bidezidorren batean auzoek edo udaltzainek jasotzen ez zituzten arte, perrerara botatzeko mozkorra joan artean, edo anaiak beren galdezka joan arte, zeren bien anaiak gizon langile eta ezpal onekoak dira, familian horrelako galduak edukitzeaz lotsatzeraino, ez baita desgraziarik falta jenderik onenaren artean ere... Eta hau ez da neure lagunez gaizki esaka aritzea, ez eta inork ez dakien tatxarik jartzea ere, alegia.

—

—Bai, jauna. Zergatik ukatuko dizut? Neu ere sartzen nintzen horrelakoetan behin edo bestetan. Baina oraingoan ez zen horrela izan. Ez zen horrela izan zeren aurreko astearen hasieratik, alajainkoa!, baketzeko asmotan nenbilela neure... beno, Pinttoarekin, eta jornala larunbatero entregatzekotan tentaldietan ez erortzeko. Egi-egia da. Sinesten bada, ni ez naiz eurak baino ez zuzenagoa eta ez okerragoa, baina oraingoan neu aurrerantzean beste jite batekoa izateko asmotan nengoen, edo beste era batera portatzekotan, berdinak dira bi gauzak... Eskuetatik heldu zidaten eta beraiekin bueltak emanarazi zizkidaten, eta barre eginarazi zidaten, eta hirurok barrez genbiltzan kanpaibueltaka, eta hiruron algaratik Milagizonen ahotsak gain hartzen zuen, eta niri ez gustatzen haren barre egiteko modua, oiloa baitirudi, horregatik ez zait gustatzen berekin barre egitea jende asko dagoen lekuan, nabarmen-nabarmena gertatzen baita. Eta askotan, hor zehar ibiltzen ginenean dituanak emanaz, tabernaz taberna, nik ez nuen barrerik egiten berak señoriten kukurruku hura jo ez zezan, guztiek begiratzen baitzuten nondik ote zetorren eta gutaz barre egiten zuten eta.

Garbi zegoen, zerbait esateko, parranda itzel baten azkenetan zebiltzala, baina aski edanak artean. Milagizonek manta gerrikoan sartu zuen, atorra legez, eta dantzari eman zion, *El Morrongo* kantatuz, Gorputzetako festetara Mendenúñez kafera etorri zen berritsu baten imintziotan. Ahohandiren inguruan ari zen dantzan alfer zuri aurpegierak jartzen, eta besteak bere ondotik bidaltzen duenak bezala egiten zion, euliak uxatzen dituenak bezala. Gero beragana hurbildu zen eta atximurka hasi zitzaion bera zirikatuz, eta biek lehertzear egiten zuten barre, eta Milagizonek sudurretako goietatik egiten zuen barre, bere jostun algaratxoarekin... Gero manta gainera bota zuten berriro eta kastrapoz platikatzen hasi ziren, señorito eta señoriten hizkera imitatuz.

—"Como está vosté?"

—Moi bien? aunque medio amollado por la temperatura..." Ez dakit zergatik, tenperatura esaterakoan parrez urtzen ziren, ito egin behar zutela iruditu arte.

Niri nazka ematen zidan hark —askotan esana nion—, eta aurrera abiatu nintzen neure bideari jarraituz. Baina pauso gutxi eman ondoren Ahohandik deiadar handi bat botatzen zuela entzun nuen, eta besteak parteetatik heldua zeukala ikusi nuen, parrez lehertzen bihurritzen zizkiolarik. Baina Ahohandik berehala hartu zituen hatsak eta guztiz bonbo hots baten zarata atera zuen eta bete-betean eman zion bularraren erdiz erdi eta Milagizon luze-luze eraitsi zuen lurrera. Argi zegoen Ahohandi behintzat ez zegoela hain edana, zeren mozkorren kolpeak ez dira horrenbestetarainokoak izaten. Milagizon, zutitzerik lortu gabe, ofenditzeko hain egoki aukeratzen zekien irain haiek botatzen hasi zitzaion, eta bestea gainera joan zitzaion bigarrenez ostikada batzuk emateko. Batzuk eman zizkion ni iritsi nintzen arte eta bien tartean jarri nintzen, eta Ahohandiri abiada gelditu nahiarekin, ia neu ere eraitsi ninduen, ze hura bezalako zezenik ez dut nik ikusi, eta gainera gizon batekin joka hasten denean itsutzen denetakoa da. Beraz, Milagizon isildu egin zen eta han gelditu zen luze-luze lantutan, oraingoan haur ahotsarekin. Niri errukia ematen zidan eta ez nekien zer egin. Ahohandi alde batetik bestera zebilen gorputz makurtuarekin balantzaka, ahopean biraoka, min handia duen baten antzera eskuak barrabiletan, Aladiori jaikitzen lagundu eta esan nien:

—Hori edariarekin kontuz ibiltzen ez jakiteagatik pasatzen zaizue".

—"Eltzeak esan behar zartaginari", furfuriatu zuen Milagizonek, inoiz, nahiz eta hiltzen egon, ez baitzekien isilik gelditzen. Eta halaxe manta buru gainean jarri eta oinez abiatu zen.

—"Geldi hadi hor, kaka zaharra…! Zuzen jartzen naizen orduko jango dizkiat gibelak; ezta amak ere ez dizkik kenduko…!"

—"Kalte egingo ditek", jo zuen kukurruku besteak bere jostun barretxo artean, korrikari ekinaz zango motzek eta pauso larriek ematen zioten guztiarekin. Ahohandi kolpera zuzendu zen eta lau pausotarako azpian etzana zeukan, bizkar gainean, fierki saihespetan joaz eta hortzak lepazamarreko mamietan sartuta, arima apartatuta zakur amorratuak bezalaxe. Milagizon jiratu egin zen, hortzak estutuz, kexatzeko ere aukerarik gabe… neureak eta bi kostatu zitzaidan haiek apartatzea eta oraindik uste dut lortu banuen, une hartan mandasoka bat zetorrela ikusi zelako izan zela, mandoen txintxilinak eta mandazainen hitz hotsak entzuten zirelako, alegia.

Ahohandi bestearen gainetik altxa zen, eskuak ahotik pasatuz eta tu eginaz. Eguna motel zetorren eta lainokerak zapaldua, baina niri lotsa ematen zidan inork jite hartan ikusteak: bata alkandora guztiz zarratatuarekin eta, bestea, ahozpez makurtuta, guztiz hauts eginda, hilda bezala. Baina beraiei ez zitzaien gehiegi sinestatu behar. Beti ibiltzen ziren horrelaxe haserretuz eta elkarri jipoi ematen, bietako batek leher egin arte, gero berriro elkarren bila hasteko. Inoiz ez zen garbi jakin izan elkarri txera ala amorru zioten, baina ezin zuten batak bestea gabe ibili eta inoiz ez nituen bakarka mozkortuta ikusi, elkarrekin ibiltzeko edan beharra balute bezala. Eta parrandan ez zebiltzanean elkar ez zutela ezagutzen zirudien, elkarri ia hitzik ere ez zioten egiten; agurra agurraren truke, batak bestearen lotsa balu bezala. Baina elkartzen ziren orduko oso modu txarrean borrokan egitea besterik ez zuten egiten. Eta harrigarriena zera zen, inork Milagizoni trufa egiten bazion, han ateratzen zela bestea bere bila, asko baitziren Xanciñoren gai horregatik antzeko zipriztinagatik aurpegia emateagatik armatutako liskarrak Milagizonek, bere mazkal eta potxolotasunarekin, gurinarena bezala, ez zeukan ondo jotako ostia erdi bat, eta horretaz baliatzen zen eskandalu haiek ateratzeko bestez irri eginaz, jendeari begiratzeko bere modu harekin, irribarretxoa eta hizkera haiekin, lokatza paretara bezala botatzen zituenak, beti minik handiena eman zezakeen lekuaren bila, horretarako aproposa baitzen. Inoiz ezer esaten zitzaionean trufaz bere sastre lanbideagatik: "zazpik ez dute gizon bat osatzen" edo antzekorik, halakoxe benenoak tu egiten zituen batek ez zuela asmatzen bere gain hartu ala muturrak besakadaka hautsi, zer egin.

Beraz, berriro jaso nuen, besteari beso batetik heldu eta bultza egin nien kuneta zuloan sar zitezen, han sakon samarra baitzen. Neu, bidera itzuli nintzen mandasoka pasatu bitartean; eta zalantzarik gabe zalapartako zerbait ikusi zuen tratanteetako batek gelditu ninduen sua eskatzeko, zeharretara begiratuz besteak makurtuta zeuden lekura.

—"Pozik gabiltzala dirudi" —esan zuen, zurrupada artean zarramuskatuz.

—"Ez dezala odolak errekaraino egin, Astelehen Deunaren kontuak!" .

—"Horrela hobe… kontuz ibili ba, pareja Seixalvon topatu dugu-eta uxualak hartzen. Bart herriko tabernan istilu ederren bat atera duen norbaiten bila omen zebiltzak. Honantz zetozak, txandan. Beraz… osasuna!

—"Berdin diotsut".

Axola ez dionarena egiten gelditu nintzen, mandoen ilara luzea pasatzen uzteko, eta gero besteei txistua jo, irten zezaketela imintzioak eginaz, nengoen tokitik mugitu gabe, zeren tratante arraio haiek burua atzeraka jiratuz zihoazen. Ezkutalekutik ateratzen ez zirenez, bertara joan nintzen, isilka egurrean ez ote ziren arituko pentsatuz, mozkorrena baita hitzik egin gabe borrokan aritzea. Han aurkitu nituen, Jainkoak ez zidan gehiagotarako emango, uste nuenaren alderantziz, Xanciño kuneta zuloan eserita zegoen bestea magalean zuela bere gainean jarrita, kantarillako putzu zikinean bustitzen zuen zapi batekin lepazamarreko zauria igurtziz.

—"Gezurra eta dena zirudik…" esan nien zerbait esateagatik. "Eskerrak adiskide minak zareten!"

—"Eta hiri zer arraio axola dik?", berotu zen Milagizon aurpegi emanaz, "Sar hadi heurean hauek geure kontuak dituk eta".

—"Nigatik biak larrutu zaitzatela. Bata bestearentzako modukoak zarete… Neure lanera niak!".

—"Nora hoa motel?", esan zuen modu onean Ahohandik, altxatu eta bestea bultzadizo batez apartatuz, berriro berekin bihurrituko balitz bezala. "Euria betebetean ari dik eta ez duk lanik izango. Gainera ezin duk jada listara iritsi… eta hirekin hitz egin beharra zeukaat…". Halaxe nigana etorri zen, bizkarretik heldu zidan eta nirekin abiatu zen errepide erditik, poliki-poliki ibiliz, hitzak ia nire belarrietan utziz aho isilik hitz eginaz:

—"Ez nazak horrekin bakarrik utzi, bestela, bertan nagoen bezala hil egingo dudala". Milagizon zapia garbitzen eta kantari ari zen ezer ez balitz bezala.

—“Ez zekiat berarekin ibiltzeko ze premia daukaan...”

—“Ez al duk ikusten itsatsi egiten zaidala, ezin diodala ihes egin?”.

—“Itsatsi egiten zaiala! Zera itsatsiko zaik hiri! Ez haiz bada heu izango bere bila dabilena?”. Ahohandi pentsatzen hasi zen une batez, ondoren erantsi zuen:

—“Horixe duk bada izorramendia! Bera gabe ez nauk dibertitzen... Eta berarekin ibiltzen baldin banaiz, une bat iristen duk derrigor borrokan egin behar izaten duguna, alegia, ez hau eta ez hori, berari eman egin behar izaten diodana... Baina bera gabe ez nauk dibertitzen, horixe duk kontua...”

—“Alde hakit, motel!”, esan nuen parrez. “Beraz, menderatuta hauka. Ederra kontua...”.

Xanciñok nireetan kateatu zituen bere begi urdin handiak, oso irekiak, kopetape gorriztatuan leizetutakoak, su hotza botako balute bezala.

—“Cibrán, ez iezadak horrelako gauzarik esan ezta txantxetan ere... Aski estimatzen bahaut ere ezingo nikek eraman, eta jenioa soberan ezagutzen didak”.

—“Ea motel! Orain horrekin... Gorde itzak heure erronkak sinesten dituztenentzat, ze niri belarri batetik sartu eta bestetik ateratzen zaizkidak eta. Badakik edozein adina gizon naizela, edozeinen parekoa, eta ez dezagun horretaz ezer gehiago esan, eta utz iezadak lanera joaten”.

—“Benetan esaten diat, Cibrán. Kakazu honek nire borondatea menderatua daukala pentsatu hutsak erotu egiten naik. Ez hadi ikaratu pentsatua zeukaat eta. Atsoen sorginkeria zirudik, kauendios! Baina egin iezadak mesede, ez nazak berarekin bakarrik utzi. Neuk ordainduko diat soldata, txanponak bazeuzkaat. Gelditu hadi gurekin. Lagun bezala eskatzen diat mesede”.

Benetan hanketako minez nengoela eta oso indargetua sentitzen nintzela Pinttoarekin baketze haregatik, jardun handikoak izan ziren bi gau eraman baitzizkigun eta batzuetan egunez ere bai, nik neukan bere gogoarekin eta berak nirearekin, eta bai eta ere denbora guztian elkarri itsatsita ginduzkan hotzarekin…

Horrezaz gain, "pentsamendua" zetorkidala sentitzen hasia nintzen, beti horrelaxe hasten baitzait, indargetze horrekin, nahiz eta nekea ez izan, nekearekin zerikusirik ez duela, zeren boladak berdin etortzen zaizkit ondo betetako gau oso baten ondorengo lotatik jaikitzean. Eta, gainera, eguna, benetan, goian nahasia zetorren eta euria gogor ekiteko moduan hasia zen lanbroa egiten, zeren hemen hasten denean… Eta, zer arraio, ez zen harria xehatzen jartzeko kontua, zetorkidan indargetze harekin eta Jainkoak eman ahala euriarekin, lanean euriak harrapatu ninduen beste aldietan bezala…! Eta neure buruari esan eta egin nion, Xanciñok esan zuen bezala, ziurrenik obretan lanik ez zela egingo, zeren injineru berriak, Madrildik etorriak, bi hilabeteko galera generamala esaten zigun eta egun onetan lanean lehertzen gintuen eta lau tanta erori orduko lurralde honetako euriaz ernegatzen hasten zen eta gurekin zakur amorratua bezala ibiltzen zen, errua gurea balitz bezala… Eta gainera, non ote ziren goizeko zazpi eta erdiak, listazaleak erretiratzeko ordua! Noski nik hitza emana nuela.

—"Zer erabakitzen duk, Castizo? Ez duk hainbeste gorabehera ibiltzeko… Esan diat soldata ordainduko diadala. Horrezaz gain hik badakik adiskide mesede bat eskatuko bahit…!"

—"Beno goazik basoerdi batzuk jotzera, gero ikusiko diagu. Oraingoz oinetakoak kendu behar ditiat pixka batean, gehiago ezin diat eta".

Beraz, ja eta bidean behera abiatu ginen, Milagizon gure atzetik pauso batzuetara genuela. Posiotik hurbilera iristerakoan izeba Motxaileren tabernan sartu ginen, tratanteak ere gelditzen diren tokian. Su ederra zegoen sukaldean, eta bertan ari ziren mandazainak lukainka errea gari-ogi eta ardo berriarekin gosaltzen. Nik, esan dudan bezala, "pentsamendua" nerabilen bueltaka, sarritan pixkanaka etortzen zait egin behar ez nituzkeela dakidan gauzak egiten hasten naizenean. Egia da oso penatua eta triste sentitzen nintzela neure lanera ez joateko hargatik, gutxienez euria zela eta lanik ez zela egingo jakiteko, eta lasai gelditzeko nire aldetik Pinttoari egin nion promesa konplimendurik gabe ez uzteko, ze artean etxetik atera nintzenean aspaldian ez bezain gustura nindoan eta.

Han barruan haize epela zebilen, txeratsua eta neguan tabernek izaten dutena, eta bihotzari hain atsegin zaion eta han sartzerakoan batek ganbaran daramatzan gauza amorragarriak uxatzen dituen lurrin horrekin betea. Usaina zegoen, gainera, lukainka erreena eta ardo berriarena, begiratu hutsarekin ikusten zitzaion txispa ona zeukala kikaratan erori orduko desegiten ziren aparrak. Kanpoan euria goian behean ari zuen, bete eta zerratu, eta eguna ilun jarri zen atzera itzuliko balitz bezala. Atea zabaltzen zenean sukalderaino sartzen ziren haizealdiak kekada zabalduz eta sukalde gainean esekitako lukainka sortak astinduz.

—

—Nola, jauna? Ez naiz istoriotik ipitzik ere ateratzen... Gauzak bere hasieratik esaten ari naiz, batzuk besteetatik etorri ziren eta batzuk gertatu ez balira besteak ere ez.

—Zera izango dira aitzakiak! Nik ez daukat ezeren aitzakia beharrik nik ez dut ezer egin eta, zeren inoren aurrean gertatzen direnak begiratzea ez da norbere errua nahiz eta berari egotzi edo egotzi nahi izan.

—Gertaerak? Denak dira gertaerak, bai baten baitan gertatzen direnak eta bai baten kanpoan gertatzen direnak. Pasatu zena, pasa zen. Eta orain ez da jada ezer gelditzen baten kanpoan pasa zenetik, barruan pasatutakotik baizik. Orain dena nire barruan dago, eta barruan daukadana husteko gogorik ez baldin badut, ba... gertatu zena gerta ez balitz bezala gelditzen da.

—

—Jainkoak gorde gaitzala! Berorrek merezi duen begirune guztia diot. Baina gauzak ere dakizkidan bezala esan behar ditut eta ezin ditut bestela esan, eman nahi zaizkion buelta guztiak emanda ere. Horretaz gain, gertaerak, berorrek erakusten didan bezala, ez zaizkit burura etortzen batzuk besteen ondoren, denak errenkadan, denak batera eta nahasian baizik, denbora ere nahastuko balitz bezala eta ordu guztiak nahastu balira bezala batzuk besteengandik bereizi nahi ezean. Egunez izan zena, hausnartzen jartzen baldin banaiz, oraindik ere txukun antzean gogoratu dezaket. Baina gauez pasatu zena… Gaua gauzaz gainezka dago, denak hain batera non hainbestetarako denborarik ez zela egon iruditzen zaidan, gau asko batera izan balira bezala, bat bestearen ondoren edo oso gau luzea, tartean egunik gabea; edo gauza desegokiak bezala, aurrerik eta ondorenik gabea, nik neuk ere ulertzen ez dudala… Horretaz gain bolada askotan eduki nuen "pentsamendua", oso jarraian etortzen zitzaidan, eta orduan denboraz eta denaz askatuko banindute bezala da, banengo eta ez banengo bezala…

Kontura etorriz, beraz, izeba Motxailek, txanpon usaina entzun zuenez, patata, txorizo eta tipula tortilla eder bat eta piper frijitu batzuk ere egin zizkigun, sukaldean jan genituen, sutondoan, mandazainak zaku batean zekartzaten gaztaina berriak erretzen ari ziren lekuan.

—Noski, jauna! Hori ez nioke nik inguru hauetako inolako kristauri galdetuko... Nola jango genuen bada lehorrean? Tanke batzuk hustu ziren...

—

—Ez dakit, jauna, Ahohandik ordaindu zuen dena eta, baina bakoitza bi edo hiru tanke erdiko bi edo hiru txarro ziren, ez da asko, egia esateko, inguru hauetako hiru gizaseme gazterentzat. Ardo berria eta orratz onekoa nola zen, grasiosa balitz bezala sartzen zen, ia sentitu ere egin gabe... Txarrena izan zen Milagizonek, katarroa zeukala esaten zuen, pinta erdi bat pattar eskatu arteko onik ez zuela izan... eta zer edo zer lagundu genion.

Gauza eginda, ni neuregatik handik mugitu ere ez nintzen egingo. Oso ondo egoten zen, epelean, jaten, edaten eta tratanteen ateraldiak entzuten sukalde ondoan saldatarako su ederrarekin gaztainak erretzen, kanpoan Jainkoak eman ahala euri ari zuela. Baina Milagizon tente zebilen, burua atzera makurtua, haizeari begira bezala, eta lepoa korkox baten gisa sorbalda artean sartuta. Lepazamarrean asko nabarmentzen zitzaion zauri txartua, gaiztotzen ari zitzaiola bistakoa zen, eta noizean behin behatzekin zirikatzen zuenean odol jarioa ateratzen zitzaion, biraoka hasiaz egiten zuen aldiko. Mandazainetako batek galdetu zion ea inguru hauetako gaitza ote zen kokotean ateratzen zitzaizkion zaldar haiek... Han ordubete baino gehiago igarota geundela aparte deitu ninduen izeba Motxailek, aurretik mandazainetako batekin ikusia nuen, guri begira, mozkor haiek handik eraman nitzala eskatzeko, gorputzean jada bazeuzkatela eta bi pinta erdi pattar eta artean gehiago eskatzen ari zirela; pareja bederatziak inguruan pasatzen zela erreleborako eta beti tabernan egiten zutela keda, eta bere etxea tratalari eta ferizaleen ostatua zela, guztiak ezaguera oneko eta formalidade handiko jendea, eta ez herriko parrandarien taberna, eta ongi egingo nuela Pinttoaren etxera edo neure amarenera itzuliko banintz lanera jarraitu ezin banuen.

Aholkua ona zen, baina berriro txokoloak jantzi beharra eta berriro lokaztian zalapartan ibili beharra pentsatzeak hotzikara sartzen zidan gorputzean, larrututako ospelak zirela eta. Horixe esan nion, eta handik gutxira etxe barrenera deitu zidan eta galtzerdiak erantzarazi zizkidan, Jainkoa eta izarrak denak ikusi nituen, zure baimenarekin. Gero baratxuri ur bero pertzekada batean sarrarazi zizkidan hankak eta gaiztotutako zatiak pasatu zizkidan baratzetik ekarri eta eskutan tu eginaz jotako, eta zerri gantzetan, berorren aurpegiaren baimenarekin, igurtzitako kimu hostoekin, oso gozatua gelditu nintzelarik... Bukatzen ari zela, aholkuak emateari utzi gabe, gure amaren lagun handia baita eta kreditu handiko emakumea, besteak azaldu ziren, total eginda jada, burla nazkanteak eginaz ohean eserita harrapatu nindutelako, gure ama izateko edadea daukan izeba Motxailerekin jostetan ari nintzela esanaz bezala.

Elkarri eman zizkioten besakada eta atximurkadekin eta kopekin eta suaren hurbiltasunarekin aurpegiak handiak eta gorriak jarri zitzaizkien tximino muturjeraren gisan. Horrela ikusirik, haiekin ez ateratzeko burutazioak egiten ari nintzen une berean, mandazaina azaldu zen, oso presaka hitz eginez, guardia zibiletako pareja sartu zela esateko, errepidean zalaparta handian ari ziren astapotro batzuen bila zebiltzala, sarritan hirira barazkiak saltzera etortzen diren emakume errekardari batzuek esan zietela, eta larunbat iluntzean Urputzuren tabernan beste sarraskia armatu zuten berberak zirela uste zutela. Nik ez nion sinetsi, ikusten baitzen tratalari hura berritsu hutsa zela, errekardariek ikusi gintuztela esaterakoan. Ziur nengoen ez zela pasa beste inor haiek elkarri arima ere berotzen ari zirenean, eta beraiek zirela kontua kontatu zutenak, zeren oso gizon azeriak ziren, maragatoen barra horretakoak, eta gainera mundu honetako ibilietan ikasten den azpikeria horretako askorekin.

Baina, baietz ala ezetz, alde egitea komeni zen. Baratzetik atera ginen beraz eta arnasarik hartzeko betarik ematen ez zuen putzu haren azpitik abiatu ginen eta baratze batzuk zeharkatzen zituen bidezidor batean sartuz Larruputzuetako Zubira atera ginen. Zerua behetik zetorren, kizkurra eta beltza, eta haizealdi hotzekin barruak irekitzeko moduko euria ari zuen. Barbañaren ertzetik jarraitu genuen Burgako aldirietara iritsi arte, han zubipean babestu ginen, mozkorrarekin hankak ia mugitu ezin zituztela, mantan bildu ziren lurrean etzanda eta, handik gutxira, arima apartatuta, zerriak bezala hasi ziren zurrunkaka. Hiriak zeruaren etenik gabeko hustu harekin putzua zirudien, bihotza tristatzeraino. Ni damutzen hasia nintzen gehiago ez edana, zeren gauza batzuengatik edo besteengatik, "pentsamendua" urrutitik bezala, izorramentuetan hasia zitzaidan, neure gainera erortzeko eta bere belztasunean sarrarazteko gogoz, beti gertatzen zen bezala…

Esnatu zirenean, ordubete geroago edo, arre jarraitzen zuen, euria eta eguna oraindik eta beteago zegoen, gaua baletor bezala. Harantz eta honantz joatea esan zuten, baina eguraldi harekin inora joaterik ez zegoenez eta haiek barraskokeriarik egin gabe egon ezin zirenez, Milagizoni tema sartu zitzaion Andradatarren lorategira igotzeko, han gertu antzean baitzegoen, paretara igoaz ea etxekoandrea ikusten genuen, zeren herrian esaten zenez goizero egunsentian lorategira ematen duen galeriara agertzen zen txoriei ogi papurrak emateko, dirudienez hauek eskura etortzen baitzitzaizkion erretxiotxio handia ateraz, berarekin hitz egiten zutela iruditus eta dena.

Neuk entzuna neukan kontua, mundu guztiak bezala, Fernando de Andrada jauna eta bere emaztearen istorio hura, eta alferren herri honetan batzuengandik besteengana joan eta etorri ibiltzen diren beste esamesa asko adina sinesten nituen. Hemen urtean zazpi hilabetean euria egiten duenez, jendea mahaiaren bueltan eta sutontzi inguruan berriketan entretenitzen da, edo taberna edo kafeetan pantasia horiek asmatuaz.

Ematen duenez, urteak zirela murmurikatzen zen bezala, neuk umetatik jada entzuten nuen, Andradatarren maiorazkoak, kutsatu zitzaien eta banan-banan eraman zituen bularreko tisikis batekin hildako familia osotik bizirik gelditu zen bakarrak, bere gaztaro guztia atzerrian igaro zuen, gaitza ez kutsatzeko hara bidali baitzuten. Handitasun askoko gauzak kontatzen zituzten beraz, pobreek aberatsez hitz egiten dutenean beti ohi duten bezala, hainbesteraino izan gabe agian... Jokoko edo amodiozko gertaerak direla, gurekin zer ikusirik ez duen jendearekin gerra batean ibili zela han aurrean, ezkutuka erregina baten adiskidea izan zela, zeren esaten dutenez besterik ezagutu ez den bezalako mutil eder eta bikaina zen; mundu guztiko hizkuntzak hitz egiten zekiela eta horrela, zer dakit nik...? Pentsatzen dut denak atso kalaken jardunak izango zirela, mingainari eragiteko bizioa duten eta besteren ondretan ixurrean ibiltzen diren sastre edo jostunena... Egia dela dirudiena itzuli zela da, lardaskatu samarra jada bere munduko ibilerekin, bere herentziaren kargu egitera, zera handikoa zena esaten dutenez. Herentzia kontuak ez zituen inorekin egin eta abokatu batzuek besteekin konpondu zituzten, diotenez, burutik eginda hil zen amari puska ederra kendu zioten frantziskotar fraideei zati eder bat kentzeko, ni horretan ez naiz sartuko. Eta berriro Jainkoaren lur horietara itzuli omen zen, eta urte batzuek barru berriro iritsi zen berekin halako edertasuneko dama bat ekarriz, non hura ikusi zuten gutxik inoiz antzeko gauzarik ez zutela ikusi esaten zuten... Baina inork ez zuen berriro ikusi iritsi zen egunetik, hori dela hamabi urte dira, orduan entzun nuen nik hau kontatzen. Dirudienez, Andradako jaunak jauregian sartu zuen bere andrea, ateak itxi zituen eta mundu honetako inorekin inoiz traturik ez zuen izan eta inoiz gehiago ez zen herrian ikusi, ez eta erregeren etorreran, ez Ferreiria auzoak su hartu zuenean, eta hori sua pazoko hormak miazkatzen ibili zitzaiolarik, herri aldera jotzen duen aldetik... ziotenez, inoizkoan Santa Kruzeko aldirietan daukan beste pazo bateko lurretan zaldiz ikusia zuten, baina herribide edo ferradunen bideetatik kanpo, bidezidorretatik gehiago, gauez askotan, eta gainera beldur handia eragiten zuela diote janzten zuen eta gorputz osoa estaltzen zion arropatzar bat eta kaputxa zirela eta... Esan, asko esan zen, baina nik ez dut ezagutzen benetan aurpegi aurrean izan duen inor. Zeren esan, esan ere egin zen ibili zen lurralde haietatik ekarri zituen morroiek ez zutela hitz egiten guk bezala, eta urtero aldatzen zituela, edo sarriago, herriko edo auzoko inorekin hitz egin zutela jakiten bazuen, baina nik ez dut haiekin hitz egindako inor ezagutzen; honela hazten baitira istorioak eta beti mingainari eragiten dabilen jende alperrak harrotzen dituen gezurrak... Eta horrekin eta guztiarekin, herriko jendeari amorraziorik handiena ematen ziona bere andrea itxian edukitzea zen, jeloskortasunagatik omen zen, eleek ziotenez, sudurzuloetatik sartzen zitzaion haizearekin ere halaxe zelarik; zeren ziotenez adiskideren batekin hutsegin omen, hor aurreko lurralde horietan, eta derrigorrean ekarri omen zuen bizi zen artean berekin edukitzeko, etxean sartuta presondegian bezala... Eta beste batzuek ziurtatzen zutenez hil egin zuen eta lorategian lurperatu, jakin ezazu, zeren nik ez sinetsi egiten dut eta ez sinetsi gabe gelditzen naiz, batzuek esaten duten arren erreka hotsa dabilenean ura daramalako dela...

Bada, honetaz guztiaz hitz egin genuen hirurok, eta bakoitzak zekiena esan zuen, gaitabuztanez edo, esaten duten bezala, mamuez jardutea bezala zen; baina handik ateratzerik ez zegoenez, zerbaitetan aritu beharra zegoen. Guztiarekin ere, Milagizonek pareta igotzeko temarekin jarraitzen zuen. Eta Ahohandik, hasieran hizketan sartu ere egiten ez zena, berari ere amak kontatu ziola esanaz bukatu zuen, ziur esan ziola maiorazkoak bere emaztea erail egin zuela.

—"Erailtze kontu hori ez duk egia!" —saltatu zuen Milagizonek—, "nik ikusi egin nian eta, begi hauekintxe, orain bi urte edo!"

—"Zera ikusiko huen hik, atsokaka horrek…! Amets egingo huen edo besteetan baino mozkor handiagoa harrapatu huenen batean ikusi huen", esan nuen nik, ez bakarrik sinesten ez niolako, bestea astarra baino egoskorragoa zelako Milagizoni jarraitu nahi horretan, zeren hura, ondo nekien hori, bakarrik ez zen ausartuko.

—"Bertan ikusten zaituztedan bezalaxe, ikusi nuela esaten dizuet! Neuk eta Nerbiok ikusi genian".

—"Eta bestela, goazen kanposantura berari galdetzera".

—"Eskuragoko lekukorik ezin jarri!"

—"Egun bateko egunsentian igo genian, paretatzarreko huntzetik lau hankan. Parrandan ibiliak gintuan bezperan, baina ez geundean edanak, oraintxe bezalaxe, niri horrelaxe alde egiten zidak, eta hik hori badakik... Une bat bakarrik izan huen nik eskutan indar asko ez eduki eta eutsi ezin izan nian, eta eskuak larrutu egin zitzaizkidaan lau hankakoan. Eta Nerbio, badakizue nola zegoen gizajoa, ez zekiat nola eduki zuen goraino igotzeko adina indar. Une batez ikusi genian eta liluratuta gelditu gintuan halako gauzarekin, orain arte ez genioan inori kontatu nahi izan… Besteren batzuek beste aldiren batean lortu omen ditek igotzea, baina pareta gainera azaltzerakoan, han, ikusten?, jangela ikusten den lekura, pazotik botatako gatzezko tiro batekin jaitsarazi gintiztean. Zurrupalauza izan huen eta Gurpilzale bestea, esaten didatenez fundizioan lan egiten duena".

—"Nik ez zekiat hori guztia egia den ala ez" —esan zuen Ahohandik serios—, "baina honek kontatzen duen hori berori entzun nioan Nerbiori behin. Ez nioan kasu handirik egin fantasiatsua zelako emakumeez aritzerakoan; zeren diotenez, hortik etorri zitzaioan hil zuen gaitza, haietaz hainbeste pentsatzearekin urtu zuena, besterik ez zian eta egiten, gau eta egun... Eta inoiz ez ikusi eta ez amestu zuen emakumerik ederrena zela ere entzun nioan, eta ikusi zuenez geroztik, luzaroan ibili zela loa galduta".

—"Hori gaitz tisikoa duten guztiei gertatzen zaiek asko, bularreko batetik hil zen nire lehengusu bat ere lorik ezak jo..."

—"Ba egiten zidak kilima asunto horrek!", esan zuen Ahohandik erabakia hartzen zuenean jarri ohi zitzaion begi zorrozkerarekin. "Nik, neuregatik, ikustera igoko nikek. Zertarako gaude ba hemen?"

—"Ez zekiat, ba, gauza izango naizen, honoko piztia honek egin didan hozkadarekin minez mugitu ezinik zeukaat masaila... Baina zuekin joango nauk nola egin behar duzuen esateko. Eta neuk ere igo ahal banu!"

—"Zer diok hik?" galdetu zidan Ahohandik. Pixka bat pentsatu eta esan nion:

—"Erokeria iruditzen zaidala! Euri honekin gainera... Nirea badakizue ez dela beldurragatik... Benetan, ez diat sinesten atso eta ero kontu horietan... Orain... hala nahi baduzue... Egia esan, ez zekiat nola moldatu beharko dudan ferratutako txokolo hauekin eta hanketako min zerri honekin... Baina horretara gabiltzanez, zuekin joango nauk, lagunarteko legea duk".

Ez ziren aitzakiak haren erabakiari jartzen nizkionak, egia ziren oso. Hankak apur eginda baneuzka bezala sentitzen nituen eta berna-hezurretaraino iristen zitzaidan mina. Baina adiskide artean gehienek egiten dutena egin edo berengandik bereizi egin behar da.

Atera ginen beraz zubipetik eta han dagoen zelaia korrika gurutzatu ondoren Adradatarreneko lorategiko paretaren alde batek egiten duen kalezuloan sartu ginen. Begiratu gora eta handik ezingo lukeela tximino batek ere igo ikusi nuen.

—"Madarikatua!" —esan zuen Milagizonek—. "Huntza ebakiarazi dik eta ertzetako puntetara karea bota dik. Gu etorri ginenean ez zegoan horrela. Buelta emango zioagu, igotzeko beste lekurik ote dagoen".

Pareta jarraitu genuen, hari buelta ematen diona, eta pixka bat ibili ondoren ikusi genuen, ia estalia obra lur pilo batekin, lurraren pareko zulo bat, paretaren euskarrietan mehatze bat zabalduz bezala sartzen zena. Inor ez zen ari lanean, euriagatik noski. Hura zer izan zitekeen pixka bat pentsatu ondoren, kanal berriko urak ekartzeko kainuak sartzeko zirela konturatu ginen, beste etxe askotan egiten ari ziren bezala, zeren diotenez orain jende aberatsak iturria bere etxean edukiko du, ikusi arte sinetsiko ez dudana... Hala, dena zerri eginda geldituko baginen ere, zeren hura guztia lokazti egina zegoen, lurpetik sartzen zen zulotik sartu ginen eta, pauso gutxitara, zerua ikusi genuen eta gainean arbola adar puntak pikean igotzen zen beste zulo batetik.

—"Jar hadi hi hemen!" —agindu zuen Ahohandik horrelakoetan obeditzea beste erantzunik ez zeukan bere agintera harekin. Pixka bat makurtu nintzen eta manta bat nire sorbaldara bota ondoren, gainera igo zitzaidan ia goiko muturra harrapatu arte, ukalondoekin eutsiz. Pixka batean egon zen eusten eta salto batean jaitsi zen paretaren kontra kieto gelditzeko, begiak gugan iltzatuak.

—"Hortxe zegok" —totelkatu zuen ikaratuta oso.

—"Motel, zein?"

—"Andrea, señora hori..."

—"Ez hadi txantxetan hasi!"

—"Esaten nizuela! —argudiatu zuen Milagizonek, egia izatea damu balu bezala—. "Baina ondo ikusi al duk?"

—"Sandios!, ez zirudik mundu honetako gauza. Arnasa gelditu zaidak..."

—"Utzi itzak txantxak... hogeita lau urte zeuzkaat eta sorginetan sinesteko denbora pasa zitzaidaan".

—"... sandios! —hizketan jarraitu zuen gu ez bageun de bezala—. "Jarri hadi hor, utz iezadak beste pixka bat ikusten".

—"Orduan, nik ere ikusi nahi diat zer den hori..."

Aladiok tabernan harrapatu zuen pattar botila bat atera zuen zamarrako poltsikotzarretik, eta trago onak jo genizkion animoak hartzeko. Gero han zeuden hesola batzuk, apeo tankerakoak, hartu genituen eta gora zihoan zuloko lur bigunean sartzen joan ginen geuk igo ahal izateko. Nik txokoloak erantzi nituen eta lepotik zintzilik lotu nituen. Aurrena igo nuen. Zuloa kamelia arte batera ateratzen zen, eta dena hain ilun zegoen, loreek koloretako argiak ziruditela. Beldurtu egin nintzen, mundu honetako beste ezerekin ez bezala, ez bainaiz mundutik edo ez dakit beste inondik ager zitekeen ezeri beldurra diotenetakoa. Euri tanta mardulek kamelia hostoetan kanpai hotsekin jotzen zuten. Besteak iritsi artean ez nuen zutitu nahi izan, eta ezer ikusi gabe jaisteko gogoa ere egin zitzaidan. Baina honetan etorri ziren eta nire ondoan gelditu ziren etzanda.

—"Zer?" —murmuriatu nuen isilean, Ahohandiri ukalondokada bat emanaz.

—"Hortik begiratu behar dik", eta ezpelezko hesi batean zegoen ataka adierazi zuen.

Hala egin genuen... Han galerian, leiho bat zabalduta zeukan, nik, halakorik pinturan ere, ikusia nuen emakumerik ederrena zegoen. Zeruko amabirjina berbera bezalaxe luzitzen zuen, inor iraindu gabe. Zuri-zuria..., ile beltz-beltzarekin... Besoak biluzik, alajaz beteak, leihotik kanpora atereak euriak busti zitzan nahiko balu bezala, eta soineko zuri bat eta mehea, egiten zuen eguraldiarentzako, zeukan jantzita, hotzak ezer axola ez balio bezala. Buruaren gainean mantelina bezalako bat edo belo urdin bat zeukan, eta haren puntak leihotik irtenda haizeak astintzen zituen. Eta, señora hain geldirik zegoenez oihal hark ematen zuen beregan zegoen gauza bizi bakarra. Irribarre egiten zuen geunden tokira begiratuz, betazalik mugitu gabe eta begiak beltz, handi eta oso zabal, halako beldur modu bat edo eraginez ...

Honetan, lausotutako kristaletatik, gizon itzal bat ikusi zen galeriatik zetorrela, gogoa korapilatu zitzaigun hari begirik kendu gabe. Gutxira, leihora iritsi zen eta andrearen ondoan jarri zen, gizon garai, lerden oso, bizar gorria eta itxia, fraide edo apaizen tankerako kaputxa batean sartua. Puru luze bat erretzen ari zen eta begi urduriak zeuzkan, beldurtuak, zoroarenak bezalakoak. Lorategira begiratu zuen eta ulertzen ez ziren hitzak furfuriatzen hasi zen, eta ahotsa gutxitzen zuenean ez zion ezpainak mugitzeari uzten, esan eta esan... Gero andre ederrari buruan jarri zion eskua eta bizarrarekin lorategia erakutsi zion, zerbait ikusarazi nahi balio bezala murmurio jardunari utzi gabe, amaierarik ez zuten haserre handiko ziruditen hizketekin; andre ederrak ezer erantzuten ez bazion ere, irribarrea ez zuen uzten. Horietako batean, gogor heldu zion berari, sorbalda batetik, eta bultzadizo batez atzera bidali zuen, bota gabe, andrea gurpildun zerbaiten gainean eserita balego bezala, eta han. Berriro gizon hura azaldu zen, hizketan eta hizketan, deiadarka oraingoan, eta bizarrari tiraka hasi zitzaion gero bizarrei ahurretik gogor putz eginez haizera botako balitu bezala... Kolpera ikaragarrizko algara egin zuen, eta zeruari begira kakazotz eginaz, leihoa itxi egin zuen, hainbesteko tiradaz non ez dakit nola ez ziren kristalak hautsi.

Niri hark guztiak halakoxe estutasuna eman zidan, apeotan hankarik jarri gabe azaldu nintzela zuloaren sakonean, ipurdia lokatzetan eta dardarka perlesiak harrapatu banindu bezalaxe. Besteak ere jaitsi ziren, nola edo hala, eta hirurok izerditan geunden labe atakan bezala. Hitzik esan gabe jaiki egin ginen, beste trago eder bat jo genion botilari, eta hanka egitera gindoazenean, eskopetakada bat entzun zen eta kamelia hosto puskak erori zitzaizkigun gainera.

—

—Bai jauna, egia da guztia, eta dena esan dudan bezalaxe izan zen. Aita zenaren memoriagatik dagiot zin...

—

—Ez jauna, ez nekatua nago eta ez goseak. Gainera, gauza hauek kontatuz asko lasaitzen zait "pentsamendua", guardia zibilen kuartelilloko kalabozoan eduki nauten denbora guztian, izorratu samarra, barkatuko du hitza, egon bainaiz, zer gertatu zen ere kabilatzen uzten ez zidala.

—

—Berorrek nahi duen bezala baina, hemen itxoiten uzten baldin badit, berorri eskatzen diot fabore handi hori. Zeren kuartelillora itzultzen baldin banaute ez dakit zer gerta daitekeen… nahiago dut, behingoz, espetxera eramaten banaute. Gizon gazte eta odol oneko bati ezin dio inork atzaparrik aurpegira erantsi, eskuak eskuburdinetan lotuak dauzkanean, bertan hiltzeko gogorik izan gabe… Hori ez da gizonen legea, eta ez dakit beraiek bezain kristauak direnei horrelakoak egiteko gai diren kristauak. Beraz, mesedez eskatzen diot…

—

—Jainkoak ordain diezaiola berorri, Jainkoak berorri… Berorrek agintzen duen bezala... eta gero arte jainkoak nahi badu...

II. KAPITULUA

—

—Baina zer dela eta, jauna?

—

—Inkomunikatua? Eta hori zer da?

—

—Hala bada ere, eta hala beharko du, berorrek esaten badu. Baina nori egiten dio kalte ekartzen didan janaria berak emateak?

—Hala bada ere. Zer egin dezake atso gaixoak? Hor dagoenez... besarkada bat ematea sosega dadin eta nik ezer txarrik ez dudala egin jakin dezan eta hemen deklaratzeko bestetarako ez nagoela eta inork ezin didala egotzi egin ez dudanik... Gainera Pinttoaren berri jakin nahi dut eta mutikoarena. Gizon batek beretarren berri jakiteko eskubidea duela uste dut.

—

—Ez jauna, bera hain da gorra deabruak eraman dezala hitz egiten dudana bertatik mugitu gabe entzuten ez badidate. Eta agian ez dugu ezer ere esango, Pinttoaren eta mutikoaren galdera eginda gero. Atxo gajoa urteak da hizketan aspertu zitzaidala, madarikatua munduratu ninduen eguna, hobe zukeen zerritokira bota banindu, barkatu! Orain ez dit hitz egiten jada. Malko isil haiekin begiratzen dit, zimurretan ubideak eta dena egin zaizkio eta, erremediorik gabeko bati begiratzen dionak bezala, hobe luke maldizioka txikitu banindu... Orain ez dit besterik esaten: "Deskantsa ezazu, seme, deskantsa... Noiz deskantsatu behar duzu behin betirako, semetxo nirea?"

—

—Beno, berorrek dioen bezala izango da, lege kontu horietaz nik ez baitut ezer ulertzen, eta ezta beharrik ere... baina ai zeruan induljentziaz betea aurkituko balu...

—

—Ezer ere ez, jauna, ezer ere ez. Neure buruari ari nintzaion. Disimula...

—

—Bai jauna... Esaten ari nintzen bezala..., Jainkoak eman ahala jarraitzen zuen euriak.

—Ai, jauna, hori berorri iruditukо zaio...! Baina nik euriak erru handia izan zuela esaten diot... Pinttoarekin egon ondoren irteterakoan aurkitu nuen freskura itsaskor hura, eta gero munduaren gainera erori zen euri zaparrada kedarik gabekoa inondik ateratzerik ez zeukan amesgaizto bat bezala zen, haren ordez, gertatu zirenetako asko ez ziren gertatuko, zeren neu neure lanera joango nintzen inori kasurik egin gabe. Neure gizon hitza ematen dizut... Zeren gauza bat da norberak bere jornalarekin egin dezakeena, eta bestea oso ezberdina alperra izatea eta bizimodurako balio izaten ez jakitea edo janpronobis ibili nahi izatea. Ni lanerako gizona naizela mundu guztiak daki, eta inoiz ez naizela ibiltzen solasean lanik ez dagoenean baizik. Eta uda eta negu gustatzen zait, eguraldi txarrarekin bezala onarekin; negu lehorreko egun horietan eginkizunari ekiteak gustu ematen duela eta dena esaten diot. Berorrek ez daki, eta ez dauka zer jakinik ere, luma gizona baita. Baina neuk esaten diot erdi elbarritua iritsi, bota jaka bazterrera, eskutan ttu egin eta harri xehea egiteko haitzetan mailuka hastea, odolak berotzen doazela eta eztarrian gora kanta bat botatzeko gogoa datorrela sentitu arte... Eta ez diot esango eguzkiaren egutera mendien gainetik iristen hasten denean... Beno, orain dena izorratu da!

Beraz, esaten nion bezala, Burgako kainu handiaren ondora inguratu ginen. Han aurkitu genuen kaxoi batekin zotz sua egin genuen lehortzeko eta Milagizonek, horrexek ere!, izeba Motxaileren ostatuan harrapatutako zerri solomo pusketa bat erretzeko...

Gelditzen zen pattarraren kontu eman zuten, eta jan ondoren beste lokamuts bat bota zuten, nik ez dakit nola moldatzen den zenbait gogoak ematen dionean lo egiteko... Pentsatzen hasi nintzen, pentsatzen, sarritan "pentsamendurik" gabe nabilenean egin ohi dudan bezala. Zeren "pentsamendua" pentsatzearen aldean gauza ezberdina da. Pentsatzen dudanean, neu gobernatzen naiz; baina "pentsamendua" sartzen zaidanean beste bat bihurtzen naiz, neu ez banintz bezalaxe... Pinttoarekin pentsatu nuen, joana izango baitzen, hitz eginda bezala, jainkoaren euri guzti harekin, obretara jatena eramatera, sarritan egin ohi zidan bezala, hain alai eta irribarretsu onean geundenean, eta eguraldi onarekin mutikoa ere ekartzen zuen eta han elkartzen ginen, zuhaitz batzuen ondoan... Eta neure aita nolakoa izan ote zen ere pentsatu nuen, ez nuen ezagutu baina galdu ez nuela askorik galdu esaten zuten; eta beraz inoiz ezer jakin ez zen eta hor aurreetatik inoiz itzuli ez zen nire anaiarekin gogoratu nintzen, eta nire arrebatxoarekin, ematen zizkioten gaitzaldi haiekin eta ordu luzeetan gogor eta kolorge aldi haiekin, hobe izan zen bai eraman zuela jainkoak, ze esaten dutenez gure aitak, mutil gaztetan, Cadizen kalegarbitzaile ibili zenetik ekarri zuen gaitzetik omen zetorkion guztia... Eta gero beste gauzetan pentsatu nuen, pasatu zirenetan eta pasatu behar zutenetan; zeren horixe da dudan izorramendia, pentsatzen jartzea, pentsatzen, ez gertatutakoetan bakarrik, bai eta gerta daitekeenean ere, pasatua balego bezalaxe ikusten dut... Pentsatuko ez banu, nioen neurekiko, atzekoz aurrera burukadaka, janariz eta edariz beteta antojualdi bat eta bestearen artean umeak bezala loak hartzen dituen horiek bezalakoa izango nintzateke. Baina izorramendua diren gauzetatik ez direnetara pasatuz pentsatzen dudala da, eta batetik bestera beti heriotzara iristen naiz, eta orduan ez dut gehiago pentsatzen, zeren une horretara iristean norberari burutik gauzak banan-banan beren izenekin, bere aurpegiekin pasatzea ez den "pentsamendua" etortzen zait... "Pentsamendua" dena batera pentsatuko banu bezala da, gorputz osoarekin, eta dena etortzen zait hain nahasia, non asko irauten badu hiltzea beste erremediorik izango ez nukeen beldur... Oso estremutsukoa etortzen zaidanean, neure barruan zerbait haziko balitz bezala da, neu ez naizena, eta pultsuak lehertzera etorriko balira bezala, eta bularra halakoxe indarrez puztuko balitzait eztanda batez apur egiteraino... Baina beste zenbaitetan mantsoxeago etortzen zait, hondoratuz, hondoratuz, nekatuxe egon eta lotaratzen zarenean bezala... orduan beldurtzen nau gehien, eta ezerezera jabetzen naiz, pentsatua baitut hain murgiltze gozoa heriotzarekin besterekin ez dela bukatuko... Agian segika, nire bila, darabilkidan heriotza da lokartzen ari dena bezala, minik gabe, berekin eramango nauena... Parrandan ibili gabe ere askotan ematen diot ardoari horretatik askatzeko. Ardoak bakarrik askatzen nau "pentsamendutik", heriotzan ez bestetan bukatuko den barruraka hondoratze honetatik ateratzen nau... ez dakit ulertzen didan berorrek, baina orain badaki.

—

—Horretara nentorren, jauna, baina ezin nuen jarraitu esan dudana bota gabe, gero esango ditudan batzuk ulertzeko balioko baitigu...

Euri petral hark jarraitzen zuen Burgako uraska handiak baino lurrin gehiago eraginaz arnasan, eta haizeak arroparen aker eta xaboi usaina nahastuak zekartzan, eta bai eta, berorren aurpegiaren baimenarekin, tripakigileek, txitek eta oiloek ere obratzen zuten beheko askan, tripakiak garbitzerakoan uzten zituzten simaurrenak ere. Han zeuden gaixoak, buru gainetik oihalez estaliak, eguraldi hotzaren eta ur irakinaren artean, euria tximetan behera irristan, jauntxoentzako oilasko garbitzen. Gaixotxoak! Abestu eta guzti egiten zuten batzuek. "Langilearen bizimodu zakurra!" Serantesek dioen bezala…

Zerri haiek jabetu zirenean, bakoitzak bere etxera hanka egitea izango zela hoberena sartu nahi izan nien buruan. Ez zuten nahi izan baina. Egia esateko, ez neukan gogo handirik neuk ere. Egin genezakeenaz hitz egin eta tabernan bazkaltzeko kontua esan nien. Batak besteari begira zioten zertara zetorren ez nekien misterio harekin… Orduan esan zuen Milagizonek non pasa genezakeen arratsalde ederra, epelean eta beroan; hori bai, ezin zitekeela hutsean joan eta txanponak ematen bagenizkion bera joango zela plazara jatekoen bila. Ahohandik eman zizkion, eskuzabal baitzebilen; eta besterik gabe Milagizonek manta buru gainera bota eta euritan joan zen galtzak gora bilduta eta oilo saltoak emanaz, bere eper ibilerarekin.

Gutxira itzuli zen gauzaz betetako fardel batekin… Ahohandik jakingo zuen nora gindoazen, ez zion ezer galdetu eta ibaiko pasabideetara oinez abiatu ginenean. Bidean jardun zidan esaten Milagizonek Casteloko jaunen mahastian sotozain lanean zebilen bere ahaide batengana gindoazela, eta bodega hartan ostia dotorean igaroko genuela, suaren inguruan, destilatzen ari zen aguardientetik nahi adina edanaz. Eta nik nahiz eta protesta furfuriatu nuen urruti zegoela eta txitak bezain blai iritsiko ginela, egia zena zera zen, eguna aproposa zegoela aterpe batean sartzeko, nahiz eta lana hartu hara iristen; beraiek, zergatik garbi jakin gabe baina, garbi ikusten zen inondik inora ere herrian sartzetik ihesi, edo, behintzat, sarritan geure parrandak egiten genituen tokietatik ihesi zebiltzala, jende ezagunak ikusterik izan nahi ez balute bezala.

Barbaña oso poliki pasatu behar izan genuen, betea bai zetorren uholdearekin; pasabideak ia uren puntaren parean zeuden, baina Larruputzuetako zubia urruti egiten zen. Aldapan gora hartu genuen bidea, Zakursalton ataju hartuz. Halakoxe mina hartzen nuen hanketan txonkolo arraioak erantziz bukatu nuen. Besteek nire aurretik korritzen zuten, mantarekin estalita, niri arnasarik hartzen utzi gabe. Tartean behin irrintzi bat botatzen zuten, edo algara edo maldizioren bat bideko harri koskorren kontra kolpe bat hartzean.

Gora gindoazen eran, ura fierrago eta gogorrago etortzen zen iparrekialdeko aldietan; gorputza albotik arituko balu bezala harrapatzen zidan, aurpegian sastakatzen zidan min hartzeraino eta arropapean sartzen zitzaidan batere gabe joango banintz bezala gorputza bustiz. Bazterretako lurra lokaztua zegoen, labore lurretako erregadioak ia putzu, eta ataju hartzeko soro zabaletan sartzen ginenean hankak bernetaraino hondoratzen zitzaizkigun.

Azkenean iritsi ginen gailurreko gaztainadira, Casteloko jaunen pazo handia zegoenera, eta atarian geratu ginen arnasa hartzera, kanpoko paretaren kontra, sahasti txiki baten ondoan, madarikatua hark ematen zigun babesa. Hain geunden bustiak, ez zegoen zigarro bat egiteko modurik. Paperak zuku eginda gelditu ziren, goma itsatsita, eta ura toxetaraino ere sartu zitzaigun. Niri, minarenak, gosearenak ala kalenturarenak ziren ez nekien hotzikarak hasi zitzaizkidan eta ospelen urratuak hankak kristalekin zulatuko balizkidate bezalaxe sentitzen nituen.

—“Zer gertatzen da hemen”, esan zuen Xanciño Ahohandik modu txarrean, zamarra astinduz.

—“Nire parientea abisatu gabe zegok”, hitz egin zuen Milagizonek. “Baina berdin ziok. Zatozte nirekin”.

Pauso batzuk egin genituen eta baratzeko atesatik sartu ginen.

—“Aterpe hartan gorde zaitezte, esaten diodan bitartean”.

Kontu handiz sartu ginen, gurdi batzuen atzetik paseaz, erdi ezkutuan laborerako tresnaz beterik plaza bat bezain handiko ukuilu baten bestaldean zegoen etxetik ikusi ez gintzaten. Ikusten zen oparotasun handiko etxea zela. Korridore, orube eta galeriatako barandetan zintzilik zeuden, sortetan eta anabasan, oihal hori zabaldu bat bezala, artaburuak euritan distiraz...

Milagizonek, handik gutxira, txistua jo zigun ate batetik eta hara joan ginen. Ate atzean geneukan zain parientea, ezin lerdoagoko aurpegiarekin. Gorrituta zegoen suaren hurbiltasunagatik eta begiak argi eta txispatuak zeuzkan. Hizketan hasi zen orduko konturatu nintzen denbora luzean ikusi gabe neukan neure ezaguna zela, Mika deitua. Ez zen herrikoa baina batera ibiliak ginen Santiago das Caldas eta Santa Anako erromerietan, hiru edo lau urte zela.

Neguan ehunketan eta artazuriketan eta uda osoan erromeriatik erromeriara emakume usainean ibiltzen diren eta oso diren auzo herrietako mutiko fardel haietakoa zen, Gusteiko goietakoa.... Mutikotan herrian egona zen, ez dakit zer ofizio ikasten, eta ikasi zuen guztia Auriako golfanteen azerikeria eta amarruak izan ziren, zeren herrietako hauek, espabilatzen duten orduko, gu baino okerragoak izaten dira. Jakinarazi zidanean behin Tuyn ere elkar ikusi genuela gogoratu nuen, ni erregeren zerbitzuan nengoela orduan. Bera han zebilen zorroztarriarekin eta karta mazo batekin, feriante, mangante, irentzaile eta karterista artean nahasia, denak Mourakoak, beharren arabera ofizio batetik bestera, hori bai, tximista baino azkarrago pasatzen diren jende zuhurra; Tuyko zaindari jaien aitzakian bertaratzen ziren portugaldarren ehizan. Orain, hogeita bost urte zeuzkala eta, zentzatua zegoela ere esan zidan, serioago izatera iritsiz, bere aita elbarritua zegoela eta berak ibili behar zuela orain jende formalaren ofizioa zen alanbikearen tratuan.

Bodega oso etxe aberats eta oparokoa zela ikusten zen, jan-edan ugariak zeudela: urdaiazpikoak, lukainkak eta urdai handi osoak zeuden sabaitik zintzilik; ez dakit nola Milagizonek pentsatu ere egin zuen ezer eramatea konplimendua egiteko ez bazen... hormen kontra ia sabaira iristen ziren ardo dupa handiak.

Katilu zuri batzuetan ardo berritik ematen hasi zitzaigun Mika, egin berria zen eta zintzurrean sentitzean Jainkoaren grazia bat zen pattar hartatik, ia sentitzen ez zen xarabe epel eta gozo baten antzera.

Ahohandi, iritsi ginenetik pentsakor eta burutaziotan gelditu zen, elkarrizketan sartu gabe, eskerrak eman edo edariaren ona adierazi gabe. Pattarretik jotzen zuen berriro hitzik gabe, behin eta berriz katilua sotozainari luzatuz, edaria ordaindutakoa izan eta ateratzera derrigortuak baleude bezala, lotsa eta guzti ematen zidala halako portaerak... Goizetik jada etortzen zitzaizkion isilune zakar haiek eta ez zegoen zer gertatzen zitzaion galdetu ere egiterik, berez zakarra zen, baina parrandarakoan alai eta berritsu agertzen zenetan haserre haiek gutxi irauten zioten.

Hustu zuen hirugarren katilukadan, ia arnasarik hartu gabe, aurpegia gorritu egin zitzaion eta begiak distiratzen hasi zitzaizkion. Oso jator eta argiak zeuzkan, umeenak bezalakoak, betileek eta bekozko beltzak zerbait ilunduak baina, kizkurtu egiten zituen ondo ikusiko ez balu bezala... Beraz, horrela, esnatzen ari denak bezala, nigana eginaz hasitako platika batean sartzen denak bezala, bota zidan:

—“Sandios handiko emakumea zela esaten diadala berriro! Ez zidak burutik alde egiten, kauenzotz!... Zer diok? Hi ez al hinduan bada berotu?”

Milagizon, han bertan afanean zebilela, gelditu egin zen, disimuluz baina, besteak zioena entzuteko. Gero, kontua ahazteko bezala, upazaleari esan zion:

—“Eta gugatik kargu hartuko dian inor ez duk etorriko, ez?”

—“Horregatik bada lasai egon zintezkete... Pazoan ez dago agintzen duen inor, eta etxea geuretzat dago gauera arte. Nagusiak herrira jaitsi dira, etxekoandrearen ama dela eta, oso gaixo omen dago eta ez omen da egun hauetatik pasako. Eta on Martzial goizean goiz atera da, zaldiz, Piñor aldera, han dauden errenta kontu batzuengatik.

—“Eta on Martzial nor duk?”

—“Mantxinsaltoa, administradorea, alegia. Deabruak berak baino jenio txarragoa zeukak!”

—Eta etxeko gainerakoak?”.

—Ba, eguraldi honekin eta Matxinsaltoaren faltan, jan-edanean, hemen inork ez baitik neurririk hartzen. Hau bezain etxe aserik...! Hori bai, bodegan sartzea debekatua zeukatek, izan ere nolakoak egin dituzte! Aitak kontatu zidan, kontuan har nezan, Gabon egun batez nagusiak herrira ahaide batzuekin pasatzera joanda, markako horietakoren bat egin zutela... Arima apartatuta zerriak bezala oka egin arte jan eta edanda gero, deabruak hartu zitian eta nagusien arropaz hanketatik bururaino jantzi zituan; eta bonbatxoetan eta buzoetan ongi sartuta, ribeiranak dantzatzera egitera joan zituan ispiluetako gelara, Baldartzia eta Azaosto zerbitzaririk zaharrenak, oholtzan eserita, etxeko jaun-andreenak eginaz, lorontzietan ezartzen dituzten estafermo zoro horiek bezain mozkor, biharamunean ez omen zitean ezer gogoan. Nagusiak iritsi zirenean, ia goiz erdian, txikizio hura aurkitu omen zitean, artean asko loak hartu zituen toki berean zeudean lo mozkorra pasatzen, bai eta nagusien eta umeen oheetan bertan ere, hori izan zuan haserrerik handiena eragin zuena. Eta nagusiek, ogi puska bezain onak izanik ere, denak bidali zitiztean, zaharrak ezik; zerbitzari gazteetatik ez zuan inor gelditu, nahiz eta barkazioa eskatu zuten eta enpeinu handiak egin... Rairoko bi neskato ere, jornalean josten zutenak, kargatuta utzi zituztela ere esan zuan, jendeak gehiegi hitz egiten dik baina... Orduz geroztik inork ezin zezakek bodegara etorri baimenik gabe, eta gutxiago sotozaina hemen dagoela; zeren, dirudienez, urte haietan, destilan aritzerakoan, pattar berria dastatzera etortze horrekin, harrapatzen zituzten jornadak...

Mika oso berritsua zen, eta gaizki esanean hasten zen arnasa hartzeko betarik ere gabe. Ez neukan nik hari erantzuteko kemenik eta, ikusten zenez, besteek ere esaten zuena gehiegi sinetsi gabe uzten zioten hizketan.

Ahohandi kuzkurtuta gelditu zen supazterreko harri ondoan, nire parean. Hauts eginda geunden, arropa azalera itsatsita urritzen ari zen, larru bat bezala, eta gorputzean azkura ematen zigun. Milagizon, ezer ez balitz bezala, ahopean kantari eta presaka zebilen, janaria prestatzeaz hizketan, beti zerbait egiten ibili behar izaten baitzuen. Azokako janariak ekarri zituen fardela husterakoan zilarrezko duroak, zortzi edo hamar, atera ziren kutxaren tapatik, eta gorri-gorri egin zen.

—"Nondik atera zaizkik hiri txanpon horiek?" —galdetu zuen Ahohandik bekaina ilunduz.

—Ba, begira ezak..., ez zekiat —erantzun zuen ahots

otzan eta faltsuz beteaz—. Zaku barrura izeba Delfinari erori izango zaizkiok urdaiazpikoa erosi diodanean, alajainkoa! Bai dela distraitua... A! zer pena hartuko duen gaixoak falta zaizkiola konturatzen denean!" —Eta bere sudur barreari eman zion. Besteek ere barreari eman zioten amarrua igarriz. Nik, ordea, ez nuen barrerik egin, edozer gauza izan ninteke baina inoiz ez didate barrerik eragin iruzurtiek; parrandaria izatea bat da baina lapurra izatea oso bestea, nahiz eta batzuek, zurruterakoan, apropos egiten duten estropezu edandakoarenak egiteko, hala egon gabe ere, ariman beti daukaten pozoia agertuz...

Doministikuka hasi nintzen, burutik beherakoa baletorkit bezala, eta hor esan zuen Milagizonek:

—"Erantzi arropak eta jarri lehortzen. Eranzten ez badituzue pulmonia harrapatuko duzue gainera etorri zaigun ur guztiarekin". Hau esanaz Ahohandiri zamarra eranzten hasi zitzaion eta honek bultzakada batekin baztertu zuen.

—"Arrazoia zeukak honek —sartu zen Mika—. Gogoak eman bezala jarri zintezkete, esan dizuet hemen ez dela inor azalduko".

Handik berehala Ahohandi, jantziak eranzten hasi zen intxaurretan gelditu arte. Lurrera erortzen utzi zien, eta botinen lokarriak askatzen hasi zen; eta, azkenean erditu zutenean bezain larrugorririk gelditu zen.

—"Eta hik ere larrugorririk jarri beharko duk" —esan zuen Milagizonek, mehatxu ahotsez, arropa kupel bizkarrera botaz. Gorputza zuria eta indartsua zeukan, giharrak hezurretara estututa, jantzita baino askoz indartsuagoa zirudien. Bularrean zauri azaleko bat ageri zuen, atximurkada baten tankerakoa, sorbalda batera zihoakiona... Azkazal puntarekin odol lehorra hazkatzen hasi zen, zauritu berria zuela ikusten baitzitzaion, eta odoletan hasi zitzaion berriro. Gero su hauts pixka bat hartu zuen eta berarekin igurtzi zen, urratutzarraren ertzetatik sartuz. Ikara ematen zuen hura egiten ikusteak, berea ez den gorputzean balitz bezala, betilerik ere mugitu gabe.

—"Zer daukak hor, motel?", galdetu nion.

—"Honen ateraldiak dituk, sartzea gustatzen zaiok eta hik ikustea".

—"Itxi ezak ahoa, kakazu horrek!" Esan zuen Ahohandik harengana zuzenduz.

Bestea korrika abiatu zen upa baten atzean gordetzera, eta Xanciñok esan zigun:

—"Ez duk ezer izan… Hitz batzuk izan dizkik Balbino Tipularekin eta labana atera dik. Labana niretzako! Zer kontatua ere eraman dik… Nik eskuak garbi, edo nahi dena, zeuzkaat, baina ezin diat eraman arma züririk begien aurrean… Ezin diat…"

Mikak adi entzuten zuen hura guztia, baina begiratu gabe, eta gero galdetu zuen, ahots dardartiz, baina beste asmo zera horrekin:

—"Bart izan al da, Urputzuren tabernan?"

—"Bai, zergatik?" —erantzun zuen Ahohandik ur txarrekin begiratuz.

Mikak ez zuen ezer esan, ezta besteak bigarrenez galdetuta ere. Baina ondoegi ikusten zen zerbait gelditzen zitzaiola buruan… Ia berehalakoan hasi zen esaka, zertara etorri gabe, noiz argituko ote zuen, ia nola moldatu behar genuen aldegiteko, ez zela komeni gauak han harrapatzea eta antzeko gauzak, hortik antzeman nion urduri jartzen zuela gurekin egoteak, Ahohandik kontatukoaren ondoren.

Arropa madarikatua zorriz betea balego bezala gorputzari itsatsia sentitzen nuen. Eta, gizonezkoen artean geundenez, neu ere erantzi, eta suaren gertuan utzi nuen arropa. Honetan Milagizon agertu zen erdi biluzik hura ere; eta dena egiteko izaten zuen jite harekin, soka bat inguratu zuen inguruetan eta guztion arropak zabaltzen hasi zen, ongi tiratuak. Gorputz erditik behera aurrea estaltzen zion eta umeenak bezalako txulo txikiz betetako ipurmasail gizen eta dardaratiak agerian uzten zizkion trapu batzuekin egindako amantala jantzi zuen. Azala zurixka zeukan eta, elkarri emandakoak tarteko, ubelduraz betea, eta mamiak biribilduak eta jarraian bizkar-besoak gurinezkoak balira eta gainerako gizonezkoon giharrik ez balu bezala. Bularrean, bizar arrastorik gabe, tititxoak kulunkatzen zitzaizkion mugitzen zenean, hala deabrua!, emakume bat balitz bezala. Horrela ikustean Mikari eman zion barre aldiarekin ito egin behar zuela pentsatu nuen, eta gertutik pasa zenean, txafero baten soinua atera zuen eskukada dotore bat eman nion ipurmamietan.

—"Hi, montxona!" —haserretu zen Milagizon. "Eskuak geldik, e!... Eta hik ea uzten dioan barre egiteari ez nauk momotxorroa eta". Eta jateko prestaketaren afanean jarraitu zuen, sudur kantuz eta mokorrak astinduz ibilian, haserretzekoa edo barre egitekoa zen asmatzerik ez zegoen.

Ahohandi, hara eta hona nagiak ateratzen ibili ondoren, nigandik hurbil makurtu zen berriro eta suari tinko begira geratu zen aldi batean, begirik mugitu ere egin gabe.

—"Zer duk hik, motel? Hain burutaziotsu ikusten haut. Hori ez duk parrandetako hire jenioa, zerbait baduk..."

"Gauza handia duk emakume horren hori" —esan zuen, isilpean, bere baitan hitz eginaz bezala. Milagizon belarriak tente zebilen hitz egiten genuena harrapatu nahian.

—"Ez zaidak niri ere muinetatik alde egiten. Bai dela latza, bai..."

—"Koño, mutiko!", sartu zen Milagizon; "hau duk hau! Ea egia izango ote den orain sorginkeriak badaudela atsoen kontuetan bezala". Eta pertz batean arrautzak jotzen jarraitu zuen.

—"Zein emakumetaz ari zarete hizketan jakin baldin baliteke?" —galdetu zuen Mikak. Elkarri begiratu eta ez genion erantzun, sekreturen bat elkarren jakinean gordeko bagenu bezala. Berriro galdetu zuen eta Milagizon sartu zen, garrantzirik eman gabe:

—"Ba, ardo irudimentsua duten hauen lelokeriak... Jornada harrapatzen dutenean ikusitako guztia egia izan zela pentsatzen ditek. Ez iezaiek sinestu... Non dauzkak tipulak?".

Jainkoak eman ahala euri ari zuen eta erreka nabari zen muinoan behera baratzeko lurretan zabaltzen zela erreka bilakatutako bidezidorretatik. Hankak hautsetan sartu nituen eraman ezinekoa zen min eta gaiztotze nahaste hura sendatzeko eta bareago gelditu nintzen. Eguraldiak trumoika jarraitzen zuen, iparrerra aldatuta baina; hain ilundu zuen, kriseilua piztu genuen, gaua ematen zuen eta. Zeinen ederki egoten zen han suaren amorean eta pattar maitagarri harekin! Nik pixkanaka edaten nuen ezaguera osoarekin gustu hartzeko, kanpoan etxearen ertzetan egiten zuen orro haizeak eta hautsi egiten zituen pazoko lorategirako leihotik ikusten ziren sastraken puntak. Milagizonek prantatutako jaten usainagatik ez izatekotan, gustu ederra emango zidan loak hartuta gelditzeak, honelaxe nengoen bezala, kopeta belaunetan, biluzik, alanbikearen sutan saldaren ziztuak entzuten, "pentsamendutik" libre"...

Apaizek bezala jan genuen eta Mikak ugazabena zen upatxo batetik ontzian ekartzen zigun uzta zaharreko hoberenetik lepo edan genuen. Dozena erdi eder ontzi hustu genuen, sentitu ere egin gabe ia, ez ikaragarri jan genuelako bakarrik, baizik ukitu leun eta lodia aldi berean zeuzkalako, ez inoiz ere betea uzten ez zaituen grasiosa bezala edaten den ardo berri geldo hori bezala. Berriro ekin genion pattarrari, baina oraingoan azukre beltzarekin errea… Zeinen ederki egoten zen, sandios, bodega hartako epelean, nagia ematen zuen hura handik gutxira bukatu behar zela eta berriro euritara atera beharra egongo zela pentsatzeak! Euritara, haizetara, mundu kabroikoetara...!

Burutazio hauetan ari nintzen bitartean besteek kantuan eta dantzan egin zuten, horrelakoetan atera ohi den istilua ateraz. Milagizonek baratxuri sorta batzuk bota zituen bizkarrera, lepoko gisan, eta kafe kantanteko neska narrasen imintzioak egin zituen, puta baten berdin eraginez gerriei, berorren aurpegiaren baimenarekin...

Gero Ahohandik eta Mikak berarekin dantza lotu batzuk egin zituzten, eta Ahohandik "bikotea" ateratzen zion bakoitzean, hain modu txarrean egiten zuen, borrokarako xaxatzen zuela zirudiela. Ez nuen nik hartan sartu nahi izan, lotsa ematen zidan horrela ibiltzeak, gizonezko batzuk besteekin. Milagizonek barre egiten zidan mutiko deituz, eta sutatik hartutako ilinti batekin erre nahi izan ninduen partea ez beste horretan, guztia eraman nion zera esan zuen arte:

—"Begira zer daukan hor madarikatu horrek, Zarrailasen astoarena ematen dik. Ez zekiat nola eusten dian Pinttoak..." Orduan galdu nuen tentua eta hain haserre jo nuen ia sutara bota nuela besteek aska nezan ematen zizkidaten makilakadez ohartu ere gabe. Milagizonek zerri batek zepoan bezala egiten zuen kurrinka; baina ez nekien kurrixkak minarenak edo gustuarenak ziren, ze algarak bezalako lantuak ziruditen, horrek eman zidan amorraziorik handiena eta nituenak eman nizkion. Ez naiz ni gero jotzen hasitakoan hutsak egiten dituena... Halako batean, zopa egin ninduten, nola amorratua nengoen eta jotzen jarraitu nahi nuen, Mikak ardo ontzi oso bat bota zidan gainera sosegatzeko eta sosegatu egin ninduen. Baina Ahohandik nirekin borrokan egin nahi izan zuen eta neuk ere gogoa hartua nion, elkarri heldu genion orduko Mika biraoka hasi zen orroaz, Milagizonek belarriak zulatzerainoko kurrixkak ateratzen zituen, eta gu, ordurako gorputza edariak mazkalduta geneukanez elkarrekin borrokan jarraitzeko, harrapatutako guztia elkarri botatzen hasi ginen, platerak, basoak, sukaldeko eltzeak… eta Ahohandik eserleku bat bota zidanez, ja eta kriseiluarekin eman nion, halako zori txarrez hormaren kontra apurtu zela eta su eman ziela han zeuden lasto fardoei eta alanbikeko su egurrari. Sua kolpera zabaldu zen eta itzaltzen saiatzen ari ginenean mutiko bat azaldu zen leihoan eta esan zuen.

—"Matxinsalto iritsi da!", eta ukuilutik alde egin zuen "Sua, sua, sua!" oihu eginaz.

Arropa ahal bezala tolestu, eta artean galtzak sartu ere egin gabe geneuzkan, atean zaldun luze bat agertu zenean, polainekin, eta eskutan zigor handi batekin. Atzera egin eta bidera ematen zuen leiho batetik atera ginen. Han, erdi gorririk geundenez, maldan gora jo genuen eta gaztainadi gainera arte ez ginen gelditu, jantzi ginen, ia kanpaibueltaka jaitsi ginen errepide berria harrapatu genuen arte. Arnasa hartu genuen, kedatxo batean atseden hartuz… Gero buelta handia emanaz Posioko aldirietara iritsi ginen, Burgako zubitik gertu. Pasatzerakoan jendetza handia ikusi genuen petrilean, urrutira begira… Kolpera atertu zuen eta iparra zetorren dena garbi utziz… Handik igaro zen batek zioen:

—"Su hartu du Casteloko pazoak… Ardagaia legez ari da erretzen!"

III. KAPITULUA

—Ez jauna, ez, atzo adina gogo daukat hizketarako, ez gehiago eta ez gutxiago. Gertatzen dena da, hemendik aurrera, gauzak ondo pentsatu beharra daukadala bota baino lehenago. Bart gau osoa jardun diet bueltak ematen, deabruarentzat egin dudan loa!, eta madarikatuak korapilatu egiten zitzaizkidan, muinetan itzulika eta lauan, bat bestearen atzetik; ez dakit jada zein izan den lehenago eta zein geroago, hainbeste gauza gau bakarrean ezin zitezkeela gertatu iruditzeraino, amets egiten denean bezala, bukaerarik izan ez eta instant bakarrean gertatzen dela iruditzen geunden. Nik esaten dizut gau horretan gertatu zena elkarri itsatsitako gau sorta batean, tartean egunik gabe, igarotakoa dirudiela edo, lehen esan dudan bezala... Ez dakit, beraz, nondik hasi.

—

—Bai jauna, bai... zeren gertaerak, zuk erakusten didazun bezala, izan ere edanez eta nekez tentelduta geunden eta ez genekien nora jo, zeren gauzak txarretik okerragora joan ziren eta neuri ere beldurra ematen zidan jende ezaguna egon zitekeen tokira agertzeak, eta gu, joan gintezkeen toki guztietan ezagutzen gintuzten.

Eguraldiak hotzera aldatu zuen berriro. Kaleetan ez zen arima bizirik ikusten. Lastabustinezko etxeek erori egin behar zutela ziruditen euriteak urtuta, eta elur eske jotzen zuten iparreko aldiek, haizean desegiten zituen teilen kanaletatik eroriz kale erdian lehertzen ziren ur hariak.

Haizearen atetik pasatzerakoan, ia menderatu gintuen taberna haietako batean sartzeko gogoak, jendez eta kez beteak, baina ez ginen arriskatu. Juan Ahohandi zen inork ez ikusteko kuidadorik handiena jartzen zuena, eta gure aurretik zihoan, azeri eta isil, pauso luzean. San Kosmeko iturrian edan genituen muturretik, askan, handik gutxira gorputzean geneukan guztia botarazi ziguten ur zurrutada batzuk edan genituen. Hirurok denok, berorren aurpegiaren baimenarekin, arima apartatuta zakurrak bezala egin genuen oka, astuntasuna joan egin zitzaigun horrekin, eta, gutxira, mutikoak bezain pozez sentitzen hasi ginen, zergatik ez genekiela. Urrutira ikusten zen pazoko suteak gorritutako zeru puska, eta bakoitzak besteen ezkutuan, ustez, alde hartara begiratzen genuen; baina ez genion elkarri ezer esaten, hura gure kontua izan ez balitz bezala... Pentsatzen nuen sua kolpera hazi zela bodega parean zegoen egurtegia harrapatuko zuelako, ondo ikusia baineukan upazalea sutarako zotzen bila joaten zenean...

Eta horrela Ferreiria auzoan bukatu genuen, eta han bebarru batean sartu ginen zer egin behar genuen erabakitzeko, zeren ez zen gau osoa hala ibiltzea kontu, gutxiago hotz harekin.

—“Zenbat diru daukazue?” —galdetu zuen Xanciñok. Nik ia ezer ez neukan, jornal osoa Pinttoari eman bainion.

—“Nik hamar ontza zeuzkaat, eta guztiak gaur gauean bertan izorratuko ditiagu” —saltatu zuen harro Milagizonek.

—“Niri zer egotzirik eta zertan bila ibili beharrik ez zeukatek, ez baitiat ez ezer egin, ez inorekin sartu”.

—“Ni etxera niak, geure amarenera” erantzun nien; horixe zen egia, ez neukan nik astakeria gehiagotan sartzeko gogorik, nahikoak eginda geunden.

—"Hi burutik eginda hago! Atzean utzi ditugun istiluekin lehenbizi bila joango zaizkian tokia Pinttoaren etxea duk, edo zeuen amarena, lerdoak direla uste duk!", esan zuen Ahohandik. "Aurrera egin behar diagu, biharkoa beste bat izango duk!".

—"Baina ez zeukatek niri zer bota; ez zeukaat zeren beldurrik izan, ez baitiat ez ezer egin ez inorekin sartu".

—"Eta nork bota dik pazoari su eman dion kriseilua?"

—"Eskutik alde egin zidak... Ez diat nahita egin. Al nekian, ba, horrela lehertuko zenik, eta zer kulpa zeukaat nik egurtegia hain hurbil egotearena? Kaka zaharra...!"

Beste pixka bat gehiago jarraitu genuen eztabaidan, baina ahotsik altxatzen ez genuenez, haserrerik ez bagenu bezalaxe zen, zeren guztiok isilean hitz egiten genuen auzoek entzun ez zezaten. Beraz, batak besteari zein baino zein geundela zikinduago elkarri esan eta gero, barka beza, putetara joatea erabaki genuen, Milagizoni atsegin gehiegirik egin ez bazion ere, eta jarri zuen baldintza Nonóren etxera ez joatea izan zen, Monfortinarenera baizik, ez dakit zergatik...

Baina Monfortinaren etxean ez gintuzten ametitu nahi izan; ikusten zenez, gau hartarako etxea berentzat hartu zuten biajante kanpotar batzuk zeuzkaten eta ixteko agindu zuten, gastu osoko, denak batean lotara gelditzeko. Hori izan zen Ipurzabalak esan ziguna goiko ate erditik azalduz, behekoa zabaldu gabe, ez zigula zabalduko adieraztearren. Eta erantzuteko azaldu bazen Xanciñoren ahotsa ezagutu zuelako izan zen, estimu handia zion eta; zeren Ahohandi, esaten zutenez, ospe handikoa zen txurrianen artean. Ipurzabalak gorputza luzatu zuen guri pixka bat hitz egiteko bezala.

—"Amabirjina santua!, ez dakit nola arraio abiatzen zareten horrela ibiltzera egiten duen eguraldiarekin Monfortinaren lagunak diren bezero hauek ez baleude..."

—"Zer dun hor?" —egin zuen marmar Zorriemeak, tripazain mutur koipetsuak eta mozkor sudurra azalduz.

—"Horiek gizon piurak! Xanciño Ahohandirekin datoz".

—

—"Datozela nahi dutenarekin! Itxi ezan ate hori... Gaur ez dun bezero klase horrentzako eguna. Itxi eta ixo!" —esan zuen oso modu txarrean Zorriemeak, bera da Monfortinaren enkargatua, berorrek dakien bezala...

—

—Beno, barkatuko du berorrek, ez dut irain egiteko asmorik izan eta, baina hemen gauza horiek mundu guztiak dakizki, baita pertsona ondratuek ere etxe horietan pasatzen denaren berri etxe ondratuak balira bezalaxe baitakite, zeren herri txiki hauetan...

—

—Bai jauna, bai... Orduan Ahohandik ja eta mandoa ez izateko esan zion, esan behar zuena esateko ez zeukan jendea iraindu beharrik. Baina Zorriemeak, beti bezain astakilo, arra dirudi emea baino, gorputz erdia kanpora ateraz, guztiz amorratua eta muturtsua, deiadarrari ekin zion, ukabilekin mehatxatuz.

—

—"Alde hortik, galmendi lapurrok, trangarekin ateratzea nahi ez baduzue! Zer uste duzue, zuentzako adina gizon ez naizela?" —Eta atzera barrura jo zuen, Xanciñok bota zion atzaparkadari ihes egiteko.

—"Joan zaitezte, onena izango duk" —esan zuen

Ipurzabalek ahal zuen gozoena—, "hortxe datoz farolariak aguazilarekin".

—"Eta guk zer ikusirik daukagu horiekin?" —esan nion disimulatuz, eta golkoan besteei buruzko ezer gordetzen ote zuen jakiteko, zeren zerbait bazekiela zirudien, ni belarriko azkurarekin nenbilen eta.

—"Ai, madarikatu alaenok!" —oihukatzen zuen Zorriemeak—. "Itxi ezan ate hori, Ipurzabal! Madarikatua hona bideratu dituena, oraindik konpromisoren batean sartuko gaitun eta! Zergatik zabaldu dun? Urdangatzarra! Atera hadi hortik, bestela..."

—"Ba orain, barrabilagatik, sartu egingo gaitun!" —fanfarroitu zen Ahohandi, ukalondoa sartuz eta belaunekin atearen beheko aldea joaz.

—"Atera zaitezte hortik, bubatsu marikoiok, Inspekziora zuzenean joan nahi ez baduzue!"

Nik Ahohandiri tira egin nion eta Zorriemeari esan nion, patxada bilduz, eskandalua ateratzeari uzteko farolaria eta aguazila pasatzen ziren bitartean, eta besteak aldameneko bebarru batean ezkutatu ziren:

—"Ez zaitez horrela berotu andre... arrazoian sartu behar da! Mutil eginak gara, parrandan gabiltzanak, gastatzeko txanpon ederrekin kolkoan... Eta ez dator kontura, etxea okupatuta baldin badaukazu, aguazilekin eta inspekzioarekin mehatxuka hastea, ez gara eta ez kanpotarrak eta ez karteristak..."

—"Bai, koña, hasi hadi berriro hi ere...! Ongi asko ezagutzen haut, Pinttoarena haiz eta. Zer arraiotarako elkartzen haiz hi horiekin? Esazak. Eta orduan ez dakik Ahohandik atzo gizon bat hiltzat utzi zuela Urputzuren tabernan? Ez dakik, ez? Benga ez iezadak esanarazi…"

Eta indarge gelditu ginela aprobetxatuz kolpera itxi eta tranga bota zuten. Eta besterik gabe goitik botila tiraka hasi zitzaizkigun, ez dakit nola ez ziguten krisma hautsi. Horretan Fermin, farolari zaharra, bueltan zetorrela ikusi genuen gu seinalatuz iztupa piztua hagaren puntan zuela, kaleko lauzetan zarata handia ateraz iltzeztatutako txokoloekin. Hain handia denez eta lastozko oskolean sartua zetorrenez, mamua zirudien. Bere atzetik aguazil bat zetorren, luzaeragatik Sardina zela konturatu nintzen, iritsi zen hura ere, brinkoka bezala korrika, mutikoek ere bihurrikeriak egin ohi zituzten hura horrela ikusteagatik, joanikoteengatik egiten du horrela.

—"Horiek, horiek!" —deabruek bezala egiten zuten oihu, botilakaden zaratotsak erakarririk, zeren lehen pasa zirenean gutaz erreparatu gabe egin zuten. Auzotarrek, funtzio hauetara ohituta, kolpera zabaldu zituzten leihoak, eta istripuetako Maria, karitatetik bizi dena, han, txabola batean, Monfortinarekin pareta batek apartaturik, kale erdira atera zen sorbeltzak bezala irrintzi eginaz.

—"Hona laguntza, auzoak, hil egingo nautela...! Ausilio! Auuusilio!" Putek ordaindu egiten diote edo mantenua ematen diote, berdina da, ero imintzio hauekin, gizonezkoak latatsu eta mehatxugile jartzen direnean atetik bidaltzen lagun diezaien, eta madarikatu horrek halakoxe faltsuaz egiten du benetan hiltzen arituko balira bezalaxe.

Hankak harrotu genituen, zeren Fermin eta Sardina gainera zetozkigun... Haitz Zaindariko kalezulora iristean Ahohandik agindu zuen:

—"Bakoitzak bere bakarka jarraitu beharko dugu, pila txikiago egiteko... Bakoitzak bere aldetik jo dezala... Hemendik pixka batera Nonóren etxean elkartuko gaituk. Aterik jo gabe sartu, Trinidade Santuko atetik sukaldera jotzen duen atzeko atetik... Ea, ez denborarik galdu ..." —agindu zuen Xanciñok hitz arinez.

Horixe egin genuen, eta gutxira elkarrekin geunden berriro... Oraintxe ere galdetzen diot neure buruari une hartaz zergatik ez nintzen baliatu zera... haiengandik bereizteko... eta areago nekiena jakinda.

—

—Berorrek esaten duen bezala izango da, sobran dauka arrazoia. Baina nork bere burua den bezala inoiz ikusten ez duenez..., gauzak Jainkoak emanak datozenean... gero pentsatu nuena, aurretik pentsa nezakeen, baina egia esateko ez nuen pentsatu, ala hil nazala bertan tximistak... Beno, izan nintzen marika eta ez du orain negarrak balio. Guztia joan da pikutara...

Beraz, Nonóren etxean besterik gabe ametitu gintuzten, ez han nik formal kreditua dudalako bakarrik, baizik eta diotenez Xanciño han aldean zebilelako erdi-kerido Lola Viguesarekin, enkargatu lanak egin eta beraz maitemindua zegoenarekin, esan dezagun. Viguesa, berorrek dakien bezala... beno, alegia, hemen mundu guztiak dakien bezala, Nonók dauzkanetan hoberena da diferentzia handiarekin, bost dira, edo sei hobeto esateko, Paka mantxua kontatuz, neskame dabilena feria egunetan txapuzak ere egiten dituen arren... Viguesak ez balu duen madamatxo harrokeria hori, gau eta egun okupatua egongo litzateke, zeren "limurtzen dutenetakoa da" Almeriak esaten duen bezala, Mendenuñezko mutilak. Inori sinpatia edukitzeagatik ematen dionean hain da fina modu eta hitzetan, ederra eta ongi jantziaz gain, egia izan behar duela beraz esaten denak, diotenez jende handia; eta Zorriemearen etxean ez badago, berorrek dakien bezala durokoa dena, eta ez pezetakoa, Nonórena bezala, nahi ez duelako dela. Gainera muturra berotzea gustatzen omen zaio, eta ez edari zuriz, durokoei bezala, baizik eta ahari ardoz. Asko edaten omen, erabat galdutxoa gelditu arte eta diotenez urdaila ere simaurtu egiten zaio, barkatu, eta gizonon, bizio hori dugunon, usain berdina dariola.

Ba, sukaldeko atetik tratuko etxekoandrea egoten den gelatxora pasa ginen, gutxitan joaten da saloira, hau enkargadak gobernatzen du. Ohizkoa ez zen keinu txar gisako batekin hartu gintuzten, ezta Matildek ere ez zuen egoki erantzun nire agurra. Batera sartu ginen Milagizon eta ni, eta orduan esan genion Viguesari Xanciño berehala zetorrela, horrekin asko poztu zen eta esentzia eta hautsak bota zituen. Ahohandi agertu zen orduko beragana jo zuen eta laztandu egin zuen, luze besarkatuz eta musuekin, eta beste baboak beregandik kendu nahi balu bezala egiten zuen, gogo txarrez maitatzen uzten duenak bezala, horrela eurek oraindik ere gehiago pizten direlarik, eta horrelakoak direnen atzetik ibiltzen dira, oraindik ere irrika handiagoz, ulertzen ez den gauza da hau emakume horien maitasunean...

Viguesak gisa hartako piztia hari ez zion begirik kentzen, ikusten nekatuko ez balitz bezala, harrapatu egin behar baliote bezala, begi bustiz eta harrituz, aingeru bat zerutik erori balitz bezala. Ikusi egin behar da...! Eta beste mozoloa egonean, hartan berekikorik ez balego bezala. Ni izan banintz, mekauen karajo...! Eta Viguesak "mi chulillo" behin eta berriz, beti hitz egiten baitu gazteleraz, oso fin, eta ez Ipurzabalek bezala, herri txiki bateko jostun izanik kastrapoa hitz egiten hasi zen, eta hori izan zen bere galbidearen hasiera, eta beste batzuek ere bai, duroko etxeetakoek, kastrapoz hitz egiten dutenak herriko señoritoekin andaluzarenak egiteko, denetatik baitago mundu honetan, esan ohi den bezala. Ez; Viguesarena ikusten zen bere berezko hizkera zuela, jaiotzatik zetorkiona, murmuriatu ere egiten zelarik jokalari porrokatua izateagatik etxetik emaztea eta alaba alde egin zitzaizkion koronel baten alaba zela, jendea ez baita nekatzen agian gezurra diren gauzak sortzen, baina egia ere izan daitezke.

Nonó, beti bezala, hankazabalik zegoen, ia sutontziaren gainean jarrita, zigarro bat ezpain ertzean, zangoak gurdi ardatzak bezala eta aurpegiera handi hura, baztangak tratutxartua, ia edozein kristaurena baino bi aldiz handiagoa, bi masail zintzilikatu eta mazkalez errematatua bereak ez balitu bezala. Sutontzian lurrezko ontzi bat zeukan ardoa epeltzen, eta aldiro berekin egiten zuen topo, atzekaldera bilduz bularrontziz duen okeleria hura guztia, ikusmena ez eragozteko, eta halakoxe tragoak jotzen zizkion, erdizka uzten zuen, berriro ere bete egiten zuelarik. Betealdi bakoitzeko apaizak hainbateko korroskada bat botatzen zuen, eta berekiko oso seriosa esaten zuen: "On egin Nonó; hauek izan daitezela hilko zaituzten izurriteak, eta izorra dadila mundua", harrokeria handiko emakumea baita.

—"Nola zatoz, txulotxo nirea!" —murmuriatzen zuen Viguesak, madarikatua, igurtzi patxadatsuz—. "Nirekin horren ongi egon zintezkeena finko edukiko baninduzu, bateratxo biok, ezer faltako ez zitzaizula...! Nola ikusten zaitudan, ze istilutan sartuta ote zabiltza!"

—"Begira, Viguesa, badakin ongi maite haudala, baina ni lotuta, ez eta ile hari batetik ere".

—"Benga, benga, lapurtzio, badirela bi aste ikusi ez haudala, eta dozenerdi bat abisu bidalita hori! Zer errekaldetan sartua ote habil!"

Milagizonek hainbeste izorratzen zuen irribarretxo harekin begiratzen zien, burla egiteko edo esaten zen guztia axola ez zitzaionarena egiteko egiten zuen harekin. Kasu egiteari utzi zion, eta emakumetzarraren ondora joan zen, isilean xuxurlatzera barre eginarazteko gauzak bertzunarekin hauskaldarrari eragiten zion bitartean.

Ateaz beste aldetik, juergako aretotik, fleteek eta emakume apopiloekin ateratzen zuten istilua entzuten zen, mazurkak kastrapoz, eta eztarri itxiz botatzen zituen Cudeiroko itsuaren gitarroiaren konpasean ari ziren dantzan:

Itsasoak balitu barandak

Brasilera joango nintzaizuke ikustera,

baina ez dauzkanez

ni, eztia, ezin joan.../

ai, bai![1]

Ondoren aurkitzen zuten guztiarekin kriskitin eta panderoak eginaz, guztien gainetik euretako bi entzun ziren, ahotsagatik Jimenez eta Quintela izan zitezkeenak, beti grazia berdina egiten zutenak *cachoupiño* bat armatuz guztien algaren artean, puntuak solairuko zuretan markatuz danbolin baten soinua ateraz.

Hanka puntagatik, ai!,

hanka puntagatik,

hankako minagatik

katxoupiñoagatik...

katxoupeagatik...

Milagizon eta Nonó isilean ari ziren tratuan, ontzitik edanaz; eta andreak hitz egiten zuenean kea hitzekin ateratzen zitzaion, hitzak eta kea gauza berbera balira bezalaxe, ez zuen hitzik botatzen kearekin ez bazen.

Viguesak sabaitik zintzilik zegoen kriseilutik urrutira eraman zuen bere laguna, eta han zegoen sofa batean eseri ziren, bazter ilun samar batean. Losintxaka hasi zi-

1 Si el mar tivera barandas / furate vere al Brasile / pero coma no las tiene / mi vida non poedo ire... / ai si!
Ai, polo pe, / pola punta do pe, / pola rabia do pe, / polo cahoupiño... / polo cachoupé..

tzaion, lepagainean musuak emanaz eta belarriak hozkatuz, beste geldoak, hankak luzaturik eta eskuak gerrian sartuta, bestaldera begiratzeari uzten ez ziola, urdangari ezta heldutxo koxkor txar bat bera ere egin gabe, ezta hor usteldu hadi bat ere esan gabe, niri hark guztiak amorrazioa ere ematen zidalarik, hainbeste gustatzen zaidala gainera Viguesa...

Nonók behin baino gehiagotan esan zigunez "parranda lehorreko fleteak ginela" eta antzeko gauzak, anis izoztuzko botila bi eta kafe-likorezko beste bi ekartzeko eskatu genuen, zeren urdaila geneukan, barkazioarekin, oso izorratua eta gauza gozo eta indar gutxikoetarako besterik ez geneukan gogoa... Gero probatu ere egin ez genituen tripaki eltzekada bat Generosaren tabernatik ekartzeko agindu genion Fani neskameari.

Halako batean alkobetako atetik Antonia, Saiheski, agertu zen, orrazkera konponduz, eta bere atzetik, Pepe Kabitoa, gaitzizen hau geratu baitzitzaion erregeren zerbitzuan gastadoretako kabo izan zenetik. Pepe Kabitoa Argimiro "Peste" jaunaren semea da, Iturri Berriko plazan kaleko zapatari aulkitxoa duenarena, eta asko ematen dio jaunkeriari, lana, esateko modu bat da, eskribiente egiten duelako udaletxean. Zer, eta itxurako señorito horietakoa dela, guk baino ere oraindik gutxiago irabazten duena, dena kapaz eta bastoiz eta egiazko nagusiekin ibiltzen gastatzen duten horietakoa, denak errepublikazale izateagatik, esaten dutena, eta Zumardian biltzen direla inork ulertzen ez dituen diskurtsoak botatzeko guardia zibilak handik bidaltzen dituzten arte. Harritu egin ninduen Kabitoa Nonóren etxean ikusteak, ze, nirekiko, Monfortina edo Zorriemearen fletea behar zuela izan...

Modu txarreko "Gabon" bat bota zuen, guk han ikusteak izorratu balu bezala. Eta atzeko atetik atera zen, gu sartu ginenetik, handik da, lehen esan dudan bezala, alkahuetaren konfiantzazko jendea sartu eta irteten den lekua. Irteeran, zeharretaraka begiratu zion Ahohandiri, hau konturatu ere ez zelarik egin, zegoen bezala lerdotuta.

Saiheski agurtzera atera zitzaion eta itzuli zenean nire ondora etorri zen, musu bat eman zidan masailean eta han gelditu zen itsatsita, hotzak dagoena bezala.

Ni askotan okupatu nintzen berarekin; ez ederra eta ez okelez asea baldin bada ere, txukun fama eta gauzak ondo egitekoarena dauka, hori egia dena, egia den bezalaxe abisatu egiten duela eta ez duela okupatu nahi izaten gaixo dagoen inorekin egon izanaren susmoak dituenean. Askotan esan zidan zergatik ez ginen amorante formalak, nik astelehenetako loaldia ordaindu beharrik ez izateko; niri hau beti engainu bat iruditu bazitzaidan ere, zeren asuntoagatik ordaintzen ez dena gero afariko eskotean joaten da eta Cudeiro itsuarentzako limosnatan...

—"Ai, erregetxo nirea!" —esaten zidan, gauzetan atximurkak eginaz—, "hi bai haizela urte txarreko gilborra hamar emakumeri aterarazteko gizona! Hator honantz, nagi hori!... egingo al ditugu narraskeriak?"

—"Utzi nazan, neska, ez nagon horretarako... Oso nekatua nebilen... Gainera badakin ez zaidala besterekin egon berri den emakumearekin okupatzea gustatzen..."

—"Zein? hori? Beno, beno!... Hango eta hemengo asko, bere fantasiekin koipeak berotuz, nazka eta dena ematen zidak nirekin egiten dituenak esateak... Eta zer, ezer ere ez, ezereza baino okerrago gelditu behar... Joango al gaituk? Begira, Cibrán, hori bezalako baten ondoren behar dena hire egiturako gizon bat duk, txorakeriarik gabe berera jo duena, eta berriro ere jotzen duena... Joango al gaituk?"

—"Ez zeukanat txanponik" —erantzun nion gainetik kentzen ote nuen.

—"Eta horregatik zer? Gerokotan utziko diat, ez duk eta aurrena izango; bazekiat hitzekoa haizela..."

—"Ez, neska, ez".

—"Goazik, motel". —Eta ahotsa gutxituz belarrira esan zidan—: "Okupatu eta gero, alde egin ezak aurreko atetik heuk bakarrik, inori ezer esan gabe. Ez zaik komeni horiekin inork ikustea. Hator, dena kontatuko diat, agian gero ez diagu denborarik izango eta..."

—"Utzi bakean gizonari!" —esan zuen Nonók erdi altxata eta inoiz ez bezala altu hitz egiten zuenean bularreko sakonetik ateratzen zuen eztarri itxiko ahots harekin—. "Hobe izango duk alde egiten baduzue eskandalutan ez diat saltsarik nahi eta. Orain Kabitoak ikusi zaituztenez, polainak jaso eta alde egitea izango duk hoberena" —eraso zuen Ahohandirengana hitz eginaz—. "Ez al din hiri ezer esan ?" —galdetu zion Saiheskiri.

—"Eta zer esan behar zidanan ba?" —erantzun zuen besteak disimulatu nahian, nahiz eta nabarmena izan zerbait bazuela kolkoan.

—"Beno alde! Esan dizuet, horrek salatu egingo zaituzte... Niri gorroto zidak, ez dudalako berriro hemen ikusi nahi, neskak gaizki ohitzen baitizkit..."

—"Zeren salaketa egin behar digu ba?" —atera zen Milagizon, istiluan.

—"Utzi inozokeriak eta bukatu jarduna, nik baino hobeto dakizue eta. Alde eta kito!"

Ahohandik modu txarrean baztertu zuen Viguesa eta, saltakada batean jaikiz, ostikada bat eman zion sutan lurruna harrotuz isuri zen ardoaren ontziari. Nonó oso-osorik mugitu zen, mendi bat bezala, eta, hitzik esan gabe, ate batetik desagertu zen.

—"Zergatik egin duk hori, mozkortzio nazkagarria?" —oihukatu zion Saiheskik Xanciñori—. "Hau kriminalei atea zabaltzeagatik gertatzen zaigu. Eta errua horrena da, altan dagoen zakur emea bezala dabilelako berarekin".

Milagizon saltakada batean zutitu zen eta tximetatik heldu zion, bitartean Ahohandik aurpegi erdian kateatu zion ostiako latzak seko utzi zuen, luze-luze. Viguesa ere, aulki bat altxatuz, bere gainera zetorrenean, Nonó agertu zen, amorrazioz aurpegia gorri-gorri eginda, ia more, tranga ikaragarri bati eraginez bere erraldoi indarrez, han zegoen kristo guztiaren gainean erortzen utziz, gu jotzea lortu gabe baina.

—"Alde hemendik, kabroiok!" —egiten zuen orro zeruetako trumoia bezalakoa zuen gizontzar ahots harekin... Nolakoak ote ziren kolpeak, bakarrarekin mahai bat hautsi zuen eta. Honetan saloiko atea zabaldu zen eta parrandako gizon eta emakumeak azaldu ziren gure gainera etorri asmotan. Sukaldeko atetik egin genuen ospa hirurok, ziztukatuak bezalaxe atera ginen. Gure atzean entzuten zen erraldoitzarraren ahotsa Santa Trinidadeko plaza betez.

—"Lapur alaenok, kriminalok, golfo zerriok...! Harrapatu horiek!"

Euria guztiz atertu eta arnasa kentzen zuen haize hotzak jotzen zuen. Ez zebilen arima bizi bat bera ere kaleetan. Ilargia handi eta garbi zetorren laino zirtzildu eta arinen artetik. Korrikari utzi genionean, Korrejidorearen plaza inguruan, katedraleko erlojuan gauerdiko ezkilakadak entzun ziren. Gora jo genuen, San Francisco aldera, eta Milagizonen etxean sartzeko asmoz ginen, ipurtokerren kale dioten horretan bizi baitzen. Hankek ezin ziguten ondo eutsi edari gozoak zirela eta, zuk erakusten didazunez, traidorekeria handikoak baitira.

—"Izorratu gaituk bada!" —esan zuen Ahohandik bebarruan geratuta—. "Joan zaitezte zuek nahi duzuen tokira, ni ez nauk inolako etxetan sartuko. Ez bedi deabrua..."

—"Ba, ni ez nauk higandik apartatuko" —erantzun zion Milagizonek beso batetik helduz niri oso barrura iritsi zitzaidan balentria pronto batekin. Ahohandik berak zuen gauzen kargu egiteko modu harekin eta, aldi berean, bere erronkekin gain hartzekoarekin, proposatu zuen:

—"Daukagun dirua bukatu beharra zeukaagu. Zorte txarrekoa duk parrandara atera eta etxera txanpon hondarrik txikienarekin itzultzea. Jarraitzera beraz!"

—"Begira" —esan nien—, "joango nindukek zuekin. Baina hotzarekin berriro itzuli zaidan hanketako min honekin ezin diat... dena itxita zagok. Nik ezin diat horrela ibili batetik bestera. Beraz, disimulatu egin beharko nauzue, baina hain gertu nagoenez, geure amaren etxera joango nauk".

—"Heuk ikusi", esan zuen Ahohandik "baina esaten diat nik, atzaparra kateatzen baditek… seguru negok herrian dena zabaldu dela, eta era batera edo bestera... nahi baduzue Gorriaren tabernara joango gaituk, harantz joaten diren guztiak txikizio jendea direnez, eta gehienak eta gutxienak ere... Gainera ia guztiak kanpotarrak dituk, badakizue. Gaur jendetza handia egongo duk, zazpiko feria bezpera duk eta, han beti egunargitara arteko jokoa osatzen duk tratante eta mandazainen artean... Irabazten baldin badugu, bostetako trenean alde egingo diagu Monforte aldera egun batzuetarako, istilua bukatzen den arte, okerragotan ere ibili nauk eta beti ere gehiago duk zarata intxaurrak baino... Zer erabaki da?"

Kabilaziotan gelditu nintzen. Arrazoi zuen Ahohandik. Ni beraiek bezain zikindua nengoen, gutxienik gauzak nola gertatu ziren kontatzeko modurik ez nuen arte, orain ari naizen bezala, ondo ikusten baita ezeren errurik ez dudala. Ondo nekien gainera bakarrik gelditzen nintzen orduko "pentsamendua" etorriko zitzaidala kolpera, eta bakarrik ez nintzela gauza izango, zeren asko baitziren neure gainean neuzkan gauzak.

—"Beno, zer erabakitzen duk? Ez dik hain kakalarria izan behar, motel!... Lagunekin habilenean, gauzei utzi egin behar zaiek joaten errematera arte" —esan zuen Aladiok atzaparra nire sorbaldan kargatuz.

—"Zeuek ikusi!... Nik nahi dudana estalpean sartu eta txokoloak eranztea duk... Aurrera beraz".

Hauxe zen esan niena baina ez zen egia osoa. Egia zera zen, urduritzen hasia nintzela neure baitan. Eta jende asko zegoen tokira joan nahi nuen, zaratots haundira, eta edan eta edan, hura hazi baino lehenago, bai eta bularretako hormak erreko bazitzaizkidan ere.

—"Gauez iristen den jendearekin dena bete arte ez zaigu sartzerik komeni. Hemendik ordu betera izango duk. Eutsi iezaiok pixka batean eta ibili egingo gaituk, ea pixka batean non sarturik aurkitzen dugun".

Hitz egiten zuen guztian Ahohandik jartzen zuen konfiantzak animoak eman zizkidan, eta aurrera abiatu ginen Labe kaletik. Zerua beira bat bezala zegoen eta hotza hezur zuloetaraino sartzen zen, argi zegoen izotza zetorrela. Kalearen bukaeran zabalik ikusi genuen Parrokiako txurreria; eta Milagizon, gu pauso batzuk aurrera bidali gintuen eta, manta bat buru gainean jarriz sartu egin zen. Berehala itzuli zen bertako pare bat pattar botila ekarriz. Izar kaletik behera zetozen batzuei paso uzteko sartu ginen bebarru batetik guk hartu genuela uste zuten aldera seinalatuz ikusi genituen beste batzuk. Ez zebiltzan gauzak ondo... Beraz, berriro sartu zirenean, pausoa bizkortu genuen eta, farolak itzalita bezala, oso iluna zegoen Tecelán kalean sartu ginen. Han lehenengo botilari ia hutsik uzterainoko zurrutakada luzea jo genion. Premia ederra geneukan, niri zegokidanez behintzat, gauza batekin eta bestearekin ia akitua nengoen eta. Hura etortzen zaidanean ez naiz ezertarako gizona eta, nahi dudan bakarra ezkutatzea izaten da hortzak estutzeari edo hatz-koskoak odoltzeraino hozka egiteari ematen diodanean inork ez nazan ikusi...

—

—Bai, jauna, arrazoi duzu, ez iezadazu kasurik egin... Baina niri, eta ez beste inori, gertatzen zaidan desgrazia horretaz hitz egiten hasten naizenean.

Beraz, edariak atera ninduen handik, lotuta egon eta askatzen duten bat bezala. Halaxe. Baina oraingoan, gainera, barreak eman zidan zergatik ez nekiela. Besteek ere zergatik egiten nuen barre jakin gabe barreari eman zioten, eta handik gutxira hirurok guztiok halakoxe algarez egin genuen barre zutik ezin ginela egon eta elkarri heldu behar izan genion ez erortzeko, eta aurreraka joan beharrean, bueltaka ibili ginen barre egiteari utzi gabe, erori gabe zilipurdika ibiliko bagina bezala, miresteko gauza zen.

Dibertsio hark halakoxe poza sartu zigun gorputzean, konturatu ere ez ginela egiten ari ginenaz etxe batetik ura bota ziguten arte. Orduan konturatu ginen komeni zena baino buila handiago ateratzen ari ginela. Eta hala eta guztiz ere, barreari utzi ezin genionez, batak besteari ahoa ixten hasi ginen, horrela barrea areago etortzen zitzaigula, ez genuen asmatzen nola eutsi... Kolpera Ahohandik, gauza hauetara ohituagoa, inoiz ez zitzaion ahazten ingurura begiratzea, lasterka egin gabe baina, pausoa bizkortzeko esan zigun, kaleko paretetan ezkutatuz norbait segika genekarrela, nonbait. Agian txurreriakoak ziren. Itxoin eta beraiekin borrokan egitekoa ere esan zuen, baina burutik kendu nion, kontua ez baitzegoen barrabaskeria gehiagotarako.

Nola ez genekiela Institutuko kalera atera ginen. Urrutian, erdiz erdi, aguazil bat zetorrela ikusten zen pauso makalez. Kalea ilargi zuritan argitua zegoen, eta ezin genuen hura gurutzatu inork ikusi gabe. Beraz, bata bestearen ondoren aurrera joan ginen alde ilunetik. Santa Eufemia elizako zimitariora iristean zabalik ikusi genuen eta bertan sartu ginen, saguak bezala.

Aldare nagusia distiran zegoen kandela guztiak piztuta, harrigarri egin zitzaigun hori ordu haietan. Aldaretik oso gertu bi edo hiru dozena gizon, zeren emakumerik ez zegoen; denak belauniko eta batera errezatuz, ahots urriz, letania bat edo errogatiba esaten dioten horietako bat botatzen arituko balira bezala. Ez nuen ibiltzen asmatzen ferratutako txokolo deabru arraio haiekin, lauzetan zaratarik atera ez zezaten. Gizonezko haietakoren batek zerbait susmatu izan izango zuen, atzera begiratu zuen eta; baina ordurako babestuak geunden konfesionario ondoko habe batzuen atzean.

Atearen kirrinkada entzun zen, eta aguazilak, osaba Sardina gainera, muturra pixka bat sartu zuela ikusi genuen, baina ez zen gehiagorik izan. Non geunden ikusi ezin zuen arren, konfesonarioan sartu ginen badaezpada ere eta une hartantxe berriro tentatu gintuen barre nazkagarri hark. Osaba Sardinak begiratu bat bota, eta joan egin zen atea kontuz itxiz. Atera gabe egon ginen pixka batean, hura urrutiratu zain berriro muturrak sartzen bazituen ere, eta bitartean bigarren pattar botila hasi genuen lehenbizikoa bezain ona, amua bezalako bat zeukala zirudiena gu hain alai jartzeko eragatik.

—"Hauek dituk Gaueko Adoradoreak esaten dietenak, gauez bakarrik errezatzen dutenak" —esan zuen Milagizon askojakinak.

Handik gutxira atera ginen ia alde egiteko ordua ote

zen begiratzera. Eta hortxe eman zigun berriro barre madarikatuak, baina oraingoan arrazoiarekin, zeren ikusi genuen gizon haiek ez zeudela jada belauniko lurrean, muturrez aurrera baizik, ipurmasailak jasota, eta buruak makur ia lurrean, denak batera beaten kantu horietako bat, sudurretatik botako balute bezala, botaz.

Milagizon izan zen hasiera eman ziona andre zirtzil barretxo harekin; denbora asko zenez eusten ari zela, berehala igo zitzaion kukurrukua. Bere barreak gurearen gehiegiari bultzatu balio bezala, sandios!, arnasa hartzen uzten ez zidan zera bat hegalean jarri zidan algara eztanda izan zen hura; eta barreagatik pixka bat eta edariagatik beste pixka bat, ezin genuen asmatu ateko aldera jotzen. Eta pikardia hura dena gutxi balitz, Ahohandik, bere basakerien artean puzkarti ospea zuen, danbarrada handian bukatzen diren segidako horietako bat bota zuen, berorren aurpegierak barka beza...

—

—Utz iezadazu barre egiten, jauna, gau madarikatu horretako hainbeste gauza tristeren artean burura zerbait barregarria ere etorri behar zitzaidan eta...

—

—Eta zer gertaera gehiago nahi ditu berorrek? Gertaerak hauek dira, bata bestearen ondoren, gertatzen joan ziren bezala. Esan dut denen bukaera aurrez gertatu ziren gauzengatik izan zela. Gauzak horrela gertatu ez balira, bukaera ere izan zenaren bestelakoa litzateke. Hala ere, egia da egiten genuen gauza bakoitza ez zela parrandetan egin ohi direnak bezalakoa, denak izaten baitira dibertsioa eta gero erremedioa daukaten bihurrikeriak... Guk, behintzat nik, okerretik okerragora egin genituen, konturatu gabe egingo bagenitu bezala, erremediorik gabekoak, bere ondoren ateak itxita utzi eta atzera ez itzultzeko giltzak botatzen dituenak bezala, bere galbidera nahita joan nahi duenak bezala.

—

—"Autoei" dagokienez, berorrek erakusten didan bezala, pixka bat ibili ondoren, elizatik atera eta gero, pittin bat geratu egin ginen benetan itotzen gintuen barregura hura husteko. Gero Erregeren iturrian gertatu ginen, han, berorren baimenarekin, askan egin genuen pixa. Eta han izan zen, eta gero kontuan izan zuen garrantziagatik kontatzen dut, Ahohandi, mozkorrik handiena zeeramana, eskuan zeukanari, berorren aurpegieraren baimenarekin, pertsona balitz bezala eta mimo handiz hizketan hasi zitzaiona... "ez zela harrapatu gabe geldituko", "ez zegoela parranda errematerik emakumerik gabe", "izan zezala pazientzia" eta antzeko arlotekeriak, neuri ere lotsa ematen zidan horrelakoak entzuteak gizonezko zin eta egin baten ahotik, ulertzekoa izanik ere edanak horrelakoak dakartzala.

Hortxe izan zen beraz, hain juxtu, Ahohandi berriro egoskortu zena Andradako jaunaren andre eder misteriotsua berriro ikusi behar genuen temarekin. Ez neu eta ez Milagizon izan ginen antzeko ateralditik hura askatzeko gai, bagenekien Ahohandi horrelakoxea zela, ume antojagarri bat bezalakoa, eta zerbait ganbaran sartzen zitzaionean horixe egin arteko onik ez zuela izaten hartan bizia jokatu behar bazuen ere; zeren, hori bai, hura bezain beldurgabeko gizonik ez nuen ezagutzen.

—

—Ondo dago, jauna, berorrek agintzen duen bezala izango da, beti ere hemen uzten banaute eta koartelillora eramaten ez banaute. Horixe bai ez...!

—

—Ez jauna… Goseak hil beharko banu ere. Gainera, madarikatuak nire goseak...! Izatekotan, ardo beltz tragoxkada bat, pittin bat bizkortzeko...

—

—Esker mila, jauna, mila esker!

IV. KAPITULUA

—

—Ez, jauna, hori ez da egia... Gorriaren ostatuan zalaparta sortu zenean, gu atereak geunden ordurako. Egia, han gertu gelditu ginen, inork ez ikusteko moduan, zer gertatzen zen ikusteko.

—

—Bai, jauna, hori bai... Ikusi genuen nola ateratzen zuten Zamoranoa, zaurituta, aurpegia odolez betea ikusten zitzaion. Gero denak nahaspiloan atera ziren, makila eta labankada iskanbilan.

—

—Ezetz esaten diot, beste behin diot Aski dugu nork berearekin, egin ez ditugunaren erruak ere geure gain hartzeko... Txanponak galdu egin genituen, urdaiazpikozale masidetar batzuk ari ziren zazpiterdiko jokaldi batean, horiek guztiak amarrutsu handiak baitira eta feriaz feria ibiltzen dira santa zintzora, karta mazo heziekin. Ahohandiri esan nion, baina ez zidan kasurik egin.

—

— Nola jakingo dut, bada, izena? Hau esan dut han topatu nituen Ribeiriñoko batzuek esan zidatelako.

—

— Ez jauna; nola?, ez dakit izenik ere… Badakit Ribeiriñokoak direla han ikusi izan ditudalako, sakristauaren tabernan.

—

—... herri aldera itzuli ginen beraz. Trivesko errepidetik igo eta zeharbidean sartu ginen, inorekin topo egin gabe. Ahohandik bere temarekin jarraitzen zuen, amorratuago gainera dirurik gabe gelditu ginenetik.

—

—Ezetz uste dut, nahiz eta, zin, ez nukeen zin egingo. Nork daki bakoitzaren barruetan zer gertatzen den? Temak, hasieran, andre ederra ikustearenak ematen zuen. Agian gero aukerak horretaratu zuen.

—

—Jauna, esan ez nuenik, eta pentsatu ere egin ez nuenik ere ez esanaraztea eskatzen diot... Dirurik gabe gelditu zela esan dut, ez besterik, eta, agian horregatik sartu zitzaion Andradatarren etxera joateko tema. Jokotik diru nahikoarekin atera izan bagina, beste gauza batzuk egitekoak emango ziola agian; hori da esaten dudana... jakiteko ez bainengoen bere barruan.

Beraz, Plaza Nagusira hurbiltzean hirurak entzun ziren katedraleko erlojuan. Izotzak kaleak eta teilatuak estaltzen zituen, eta guztiak, ilargiaren argitasun handiaz, kristalezkoa zirudien, eta karanbeloak izoztuta zeuzkan euri putzuak Lameda kaletik pasa ginenean, artean ere ikusi egin genuen pazoko sutearen distira, desosegu handia eman zidan, ahaztua neukan eta, edo, gutxienez hartan ez nuen pentsatu eta. Hor izan zen, desosegu horrekin, berriro nire lagunengandik bereizi eta ez dakit zer egiteko gogoa etorri zitzaidana. Baina Ahohandik ez zuen kabilaziotarako betarik ematen. Gauza bat sartzen zitzaionean... Gure aurretik zihoan, zalantzarik gabe aurrera eginaz, hitzik esan gabe eta guk jarraitu egiten genion, nik neuk gogo txarrez, baina jarraitu egiten genion aurrean joan beharrean atzetik bultzaka bagenerama bezala.

Ez neukan nik batere zalantzarik egitera gindoazen erokeria berriak ostera ere "pentsamendua" ekarriko zidala, bai baitzetorkidan, arnasa estutuz eta kabilazioen erdiz erdi sartuz are zabalduago agertzeko. Esaten dizut, jauna, kabilaketaren tupitze hau, muinak puzten dizkidan ilunpe hau, kealdi bat bezala, nola esan ez dakit... Gutxienik mutikotan, etortzen baitzitzaizkidan orduan ere gauza hauek nahiz eta nik artean "pentsamendua" esaten ez nien, hazi eta gero asmatu bainuen hori, istripua etortzerakoan mozten zitzaizkidan, lo geldituko banintz bezala, besterik gabe. Eta gero, ezaguera itzultzen zitzaidanean, dena lainotua egon arren, eta batzuetan zauritua ere bai, hatzak errementekin hartzen zizkidaten eta mingainetik tira egiten zidaten ito ez nendin, zeren pasa eta gero oso ondo geratzen nintzen gorputz lasaitasun harekin, amets oso luze batetik esnatu dena bezala, eta denbora bat pasa arte ez nintzen gogoratzen gertatu zitzaidanarekin... orain berriz...

Beno, zuloan sartu-sartu eginda geunden eta jarraitu besterik ez zegoen. Egiatan desio eta dena nuela hura lehenbailehen bukatzeko, zeren nire kanpoko gauzek barrukoak menderatzen dituztenean, "pentsamendua" berpizten hasten zait eta tentatu egiten nau bakarrik gelditzera gero eta haserreago, eta orduan sinetsiko ez banu bezala egiten dut eta jendea dagoen aldera jotzen dut edo, askatu nahian, gauzak egitekoak ematen dit kanpotik darabildanak indar gehiago eduki dezan, erotuko banintz bezala…

—Arrazoi sobera du berorrek… Baina niri gertatzen zaidan izorramendu honetaz hizketan hasten naizenean ez dut bukatzen. Hainbeste hitz egin behar hau neure burua ulertzen ote dudan jakiteko da agian, zeren askotan inorekin ari gabe egiten dut hizketa, bat izan beharrean bi banintz bezala.

—Asuntora etorriz, bada, nik poliki joan beharra neukan, zaurituta neuzkan hankek arraioko mina ematen zidatelako. Besteak aurrera zihoazen beren disputan kedarik egin gabe. Hobeto esateko, ez zen disputa, Eladio Milagizon bakarrik baitzen hitz eta hitz egiten zuena pareta bati ari zaiona bezala, zeren besteak, eskuak poltsikoetan, erantzunik gabe luzatzen zituen pausoak, eta tartean behin mortikristiren bat botatzen zuen borrokan egin nahi ziola adieraziz, beti horrela ibiltzen ziren eta. Horrela, bada, berriro Burga kalezulora sartu ginen. Obretako zulora iritsi ginenean, Milagizonek gelditu egin nahi izan zuen, bere eskuturretik helduz; baina Ahohandik, hitzik esan gabe, makilakada bat bota zion kokote zaurituan eta muturrez aurrera bota zuen berriro.

Egia esateko Ahohandi hain zegoen bere onetik irtenda nik ez neukala inoiz ere horrela ikusia. Egoskor eta temati berean, mozkorra baino, beste biok adinako bi edan baitzuen, ero izutu eta amorratua zirudien, eta errabiatsuaren beldurra sartzen zuen. Hain agoniatsu zihoan bere afanean, edana baino areago zirudien barrura eramateko eroa, beldur zera bat ere ematen zuelarik. Zurrutak, edanak edan, ez zuen besteak bezala biguntzen, baizik eta edaten zihoan eran gogor eta bekaizti jartzen zen, gehiago ezin zuenean kolpera lo hartzekoak ematen zion arte, eta hilda bezala gelditzen zen. Gero egun osoak pasatzen zituen lo eta ez zion inork gogorarazteko modurik egiten. Baina sosegua iristen ez zitzaion bitartean oso bere buruaren jabe ikusten zen, beldurge eta erronkalari baina, begiratzen zion ororekin borrokan egin nahiko balu bezala. Baina hori guztia zentzu handiz hizketan eta gorputzeko moduetan, ardo tantarik ez balu bezala; nabarmentzen zitzaion bakarra horma bezain zuri jartzen zitzaion aurpegiko zurbiltasun hura zen, eta begietako distira handi hura, baina batez ere zezenarena bezalako berezko beldurge eta bekaizti hartan, gogoak ematen ziona eginaz arrazoirik entzun gabe eta kristo guztia aurrean harrapatuz. Berezkoa ezagutzen geniontzat mozkorra gehiago antzematen zitzaion egiten zituen gauzetan egiteko eran baino, serio egiten baitzituen erokeria eta basakeria guztiak, serioegi agian, eta egiteko sartzen zitzaizkion presa eta izu haietan.

Beraz, joan eta obretako zuloan sartu zen eta han Andradatarren baratzera igotzeko eskaileratzat erabili genituen apeoak zuzentzen hasi zen. Itsumustuan zebilen, putzuaren goitik zetorren izpiaz baliatuz. Artean ere egin nizkion istilu berri baten ez sartzeko burutazioak, zeren batzuetan ondo edo hobeto atera arren, oraingoan arbi ustela bezala aterako zitzaigun, horrela izaten baitira gauzak. Ahohandik lanari utzi gabe erantzun zidan:

—"Beldurrez bazaudete nik ez dizuet etortzeko esaten. Eta gainera ez etortzea hobe duzuela ere esaten dizuet... Nik emakume horrekin egon behar diat neure bizia jokatu edo tartean jartzen zaidanarena bertan utzi behar badut ere, kito!... Badakizue beraz!"

—"Isil hadi, eroa!" —esan zion Milagizonek— "eromen larriak harrapatu hauela zirudik... Honekin geratzen zaizkian muin apurrak bi eskopetakadakin hauts egitea duk irabaziko duana". "Goazik hi, eta izorra dadila bere temarekin".

—"Ez diat, bada, nik lagun bat paradero horretan utziko, nahiz eta nazka eman erokeriak asmatzen bestetan ez dakien mando handi honek egin behar duenak. Edo denok alde egingo diagu edo denok igoko gaituk eta datorrena datorrela, nigatik ez diat inork niri kakatia esateko eskubiderik izatea nahi…"

Baina Ahohandi paretan gora zihoan jada, lau hankan, igo ahala sokak iltzatuz. Hari jarraitzea besterik ez zegoen, eta hara joan ginen…

Etxe osoa ilunpetan zegoen, espero zitekeen bezala. Kamelioen sailtxoak itzal iluna eta beldurgarria egiten zuen zelaian nabarmenduz. Ilargia sartaldera erorian zetorren, eta bere distirak galeriako beira guztiak ispiluak bezala islarazten zituen... nik esaten dut, jauna, isiltasun hark eta distira hark eta bristada hark, dozena gizonek baino beldur latzagoa eragiten zutela bihotzean. Bazirudien une batetik bestera zerbait gertatu behar zuela...

Hormara arrimatuz iritsi ginen etxepera. Igo zitekeela uste zuen lekua miatzen hasi zen Ahohandi, ateei bultzaz eta sarrailak astinduz, inolako kuidadorik gabe. Ateetako bat zabaldu egin zen eta etxeko kotxera zela ikusi genuen, hautsez eta zintzilik zeuden eta ibiltzerakoan aurpegia jotzen ziguten amaraunez betea zegoen. Handik, jateko eta edateko gauzaz beterik zegoen bodega edo despentsa batera iritsi ginen. Xanciñok besterenean zebilenaren tankerarik ere gabe kriseilu bat piztu zuen, zigarro bat egin eta han zegoen guztia begiratzen hasi zen, patxada handiz. Mahai batean erdi hutsik zegoen botila bat ikusi zuen, bandeja batean kopatxo bat gertu zuela oso apain jarria. Trago eder bana jo genion eta zera zela gertatu zen likore lekedatsu bat, anis izoztu ukituarekin, baina botika nahasketa zaporearekin; baina edan erreza gertatzen zen, eta gero gorputza pattarrik hoberenaren pare berotzen zuela gertatu zen. Apalak ulertzen ez ziren letrerodun kontserba lataz eta zirudienez atzerrikoak ziren izendun botilaz gainezka zeuden, hori zen ikusten zena. Bandeja berean platertxo bat zegoen antzagatik jatekoak zirudíten eskopeta perdigoien antzeko bolatxozko pasta batekin. Nik apur bat hartu nuen hatz puntekin baina ziztukatu egin nuen, zeren usteldutako arrainaren gustua zeukan.

Han egonda pixka batera gonbidatuak bagina bezain lasai sentitzen ginen. Ahohandik eta Milagizonek han hasia zegoen urdaiazpiko baten xerra eder batzuk ebaki zituzten, eta ardo botila batzuk ireki zituzten ezer ez bezala. Hasieran nik ez neukan goserik, eta botika gustuko xarope hartatik edaten jarraitu nuen, zintzurra leundu eta urdaila berotu egiten baitzituen. Gero ia saltxitxoi erdia jan nuen eta ardo zaharra gertatu zen botila haietako batetik edan nuen, nahiz eta tabernetan egoten dena baino mikatzagoa izan. Besteek ere berdin egiten zuten.

Gero Ahohandi, miaketan, etxe barrura sartu zen, kriseilua eramanez eta eskuarekin estaliz aurpegian eman ez ziezaion. Nola zihoan ikusiz, halako ziurtasunarekin, gauza horiek egiten zituen lehen aldia ez zuela pentsatu nuen. Berehala itzuli zen, eta atetik joan gintezkeen seinalea egin zigun. Beraz, aurrera abiatu ginen pasabide luze batetik eta atalondo, ezkaratz, edo antzeko ikaragarri batera iritsi ginen, nondik konplimendu handiko eskailera oso zabal bat abiatzen zen. Hori guztia pauso hots guztiak zurrupatzen zituen alfonbra oso lodi batez estalia zegoen, zelai batean bagenbiltza bezala. Goiko eskaileraburura iritsitakoan primerako sustoa hartu genuen, zeren han eskolako liburuetan etortzen diren burdinazko gizon horietako bi zeuden, zaldun zahar esaten zaienak, nahiz eta jakin barrutik hutsik daudela, horrela, kolpean, beldurra eragiten diote inoiz ikusi ez dituenari...

Paretetan zintzilik zeuden batera, arma pilo bat, bai eta mairuen garaikoak ere, nagusi etxeetako festetan ikusi ohi diren horietakoak, garbiak eta ongi ezarriak, ikusten baita apaindurarako dauzkatela, nagusien etxeetan beti egiten duten bezala, dena paretetan eskegitzen baitute.

Ahohandi han zegoen eta barruan ezer ez zeukan kutxa batera igo zen, zabaldu egin baikenuen ikusteko, eta ezpatarik handiena beretzat aukeratuz guri ere tramankulu haietako bi eman zizkigun, zertarako balioko ziguten ez jakin arren, zeren, niri zegokidanez, ondo begiratuz nindoan nondik nora genbiltzan inor azaldu orduko atzera jotzeko... Ez naiz ni istilu zoroetan nahasteko gizona, eta nahiz eta edariak berea egina zeukan nire ganbaran, ez zen egiten ari ginen hura parrandan dabiltzan mutil herriko semeena baino bandoleroen kontua zela ez bereizteko adinakoa.

Beraz, batean eta bestean, eta arima bizirik aurkitu ez genuen beste korridore batzuetan menturatu ondoren, atepe batetik pasatzen zen argi izpi bat ikusi zen. Ahohandik, eskuan zeraman ezpatan konfiantza handirik gabe, badaezpada labana zabaldu zuen eta atea trist batean pasa zuen inolako kuidadorik gabe. Orduan ikusi genuen hiru kandela pizturik eta laugarrena piztu gabe zeuzkan elizako kandelabro batetik zetorrela argia... Alkoba hartan zegoen guztia, oheagatik ikusten baitzen hala zela, elizako gauza zirudien, zintzilikatutako oihal handiak, santu margoak eta zurezko santuak ere bai, Santo Kristo handi bat ere bazegoen gizon baten tamainakoa, oheburu gainean zintzilik, zera handia ematen zuena bizirik zegoela zirudien bere begirada distiradunarekin. Tximinian enborra zegoen erdi errean, eta airean usain gogor eta leuna batera zena sentitzen zen, oso gozoa, arnastu eta berehala gorputza lasaitzen zuena, eta gehiago zirudien erremedio gauza perfumea baino, esate baterako.

Alkoba erdian ateari atze emandako butaka bat ageri zen. Eta han hartu genuen beste izu beldurgarrizkoa, alde batetik kristau baten eskua baitzegoen zintzilik ia lurreraino iritsian. Prontoarekin geldik geratu ginen, eta handik pixka batera Ahohandik eztul bat egin zuen mugitzen ote zen ikusteko. Baina nola ez zen mugitu, hurbildu egin zen aurre egin arte, eta buruari eraginez gelditu zen ikusten zuenarekin lerdotuta bezala.

Gu hurbildu ginenean, han zegoela ikusi genuen, guztiz eroria, hilda bezala, goizean ikusi genuen gizon bizarduna. Burko handi baten gainean etzana zegoen eta hanketaraino jantzia gotzain baten abitua edo antzekoarekin. Aho ertz batetik lerde luze bat zerion, begiak kristaldu eta motelak zeuzkan, izan zitekeen kargatua bezalaxe defuntu zegoela. Ahohandik, beldurtu gabe, bizarretan zirikatu zion ezpatatzarraren puntarekin, bestea mugitu ere egin ez zelarik, eta ozenki hitz eginez esan zigun:

—"Harrapatu dik honek latza!"

Baina ez zen han inolako edaririk ikusten, nahiz eta beste edozein tokitan edan eta hara lotara etorria izan zitekeen.

Alboko mesanotxean sutontzitxo bat zeukan, platertxo baten tamainakoa eta pintza batzuk; baita katxinba bat edo horrelako zerbait ere, baina titare bat bezain txikia, neuk ez dakidalarik zer erre zitekeen huskeria hartan. Pipak sakonean betuna bezalako bat zeukan itsatsia, eta airean zebilen usain gozo berdina zeriola konturatu nintzen... Han zegoen ohea ere ez zela bikotearena konturatu nintzen, zer pentsatu ederra izan nuen...

Ahohandi eta ni han guztian erreparatzen ari ginen bitartean Milagizon kutxa itxura zeukan altzari batean hasi zen aztertzen; kutxa hura ordea hanka batzuen gainean jarria zen, eta dena tiraderatxo txikiz betea, jostailuzkoa bezala. Haietatik alaja batzuk atera zituela ikusi nuenean bere gainera joan nintzaion horrelako gauzarik egiten ez uzteko asmotan, zeren, berorri esan diodan bezala, eta lehen ere esana nion, gauza bat da parrandaria izatea eta bestea oso ezberdina lapurra izatea, ez dira biak nahastu behar. Baina Ahohandi ere tarteko sartu zen eta biak hasi ziren kaxoietan aztertzen, huraxe izan zen Ahohandiri poltsikoan atzeman zizkioten ontzako urreak aurkitu zituzten lekua… Ez da orain errugabearena egiteagatik, baina sinets diezadakezu lapur eginkizun horretan ez artekorik ez hartzekorik ez nuela izan, inork ez zuela aurkitu nire gorputzean nirea ez zen ezer, berorrek dakien bezala eta guardia zibiletako kuartelean esan nuen bezala, nahiz eta hiltzearreko egurra eman zidaten gauzak non ezkutatu nituen esan nezan, ez baitaude gauzak eta gauzak, eta han esan nuena oraintxe ere esaten dut eta Jainkoaren aurpegiaren aurrean ere esango dut... Bai, jauna, beraiek, beraiek eta ez beste inork egin zuten lapurreta, zeren azioa biak konforme hasi bazuten ere, ontzakoak azaldu ziren orduko hasi ziren harrapalo botatzen, ikusteak nazka ere ematen zuela. Horrela ikusi nituenean, hain amorratu eta beldurgeak lapurretan, orduan konturatu nintzen ez zirela, gaztetasun parrandariaren akatsak gorabehera, guztiz ezagunak uste nituen herriko mutilak, baizik eta negozio klase horretara, esateko modu bat, ohitutako jendea.

Horrela, ijito arteko banaketa hartan ari zirela profitatuz, pixkanaka aldentzen joan nintzen, beste gauza batzuk miatuko banitu bezala, eta neure burua atetik hurbil ikusi nuenean txokoloak erantzi, arima gorputzetik bereizita bezala kandela mutur bat hartuta pasabidera atera nintzen, handik nola edo hala irteteko asmoz... Pixka bat galdu egin nintzen, eta horrek denbora eman zien harrapatzeko. Harrapatu nindutenean beraiek han utzita hanka egin nahia aurpegiratu zidaten eta neure kontura balio handiko zerbait, harrapatu nuela. Hori entzunda hortzak bertan hausteko gogoa etorri zitzaidan guztiok ezpal berekoak ginela pentsa ez zezaten eta putakumeak izan ez zitezen, berorren aurpegiaren baimenarekin. Miatu eta ezer ez neukala konbentzitu zirenean esan nien:

—"Joateko libre nauk eta zuek, berriz, egin gogo duzuena!... Hor konpon! Hasteko, lapurra ez naizelako; eta gero, gizon hori kordera etorri eta etxeko gainerako jendea esna daitekeelako, eta hi, Xanciño, gero konpondu ezin diren horietako edozer basakeria egiteko gizona haiz, ezagutzen haut eta, maina horiek hituela jakiteko adina ezagutzen ez bahindudan ere... Utzidak joaten, beraz, ondo baino hobeto dakik nik ere badudala neure jenioa". Hau guztia isilean esaten genuen korridoreko zoko batean.

—"Hago pixka bat, motel" —esan zuen Ahohandik ahopean, hizketako era aldatuz ia gizalegean hitz eginez, baina bere tema madarikatura itzuliz—. "Badakik honantz emakume horrekin egoteko etorri naizela. Harrapatu dudana bost axola zaidak eta nahi baduk heuretzako... ikusten duk...! Baina ez diat alde egingo emakume horrekin egon gabe. Aurkitzen badugu ez zaidak axolako zuek alde egitea. Baina orain ez alde egiteko erregutzen diat, aditu?"

Hura guztia presaka murmuriatzen zuen, ero baten antzera, eta berorri esaten diot, jauna, edozeinek atzera eginaraziko didan gizona ez banaiz ere, ikara ematen zuela gizon hura horrela ikusteak, kriseilu argitan, halakoxe erabakiarekin begi erotuetan, une hartan bera bakarrik aurrean jar ziezazkiokeen dozena bat gizoni kontra egiteko gizona izan balitz bezala. Milagizon, ikaratua hau ere, edo besteak emakumeez hitz egiterakoan etorri ohi zitzaion orban harekin, hausnarrean hasi zen:

—"Arrazoia zeukak honek, arrazoi dik... Goazik, motel, ez hadi egoskorra izan. Daramagunarekin soberan zegok datorren guztia konpontzeko... Goazik oraintxe bertan, deabruari ez dakiola...!"

Baina Xanciño ez zen arrazoietara makurtzen. Egun osoan zehar nabari zuen tema hura kaskoan sartzen zitzaion bakoitzean aurpegia benetako eroaldiak harrapatuko balio bezala jartzen zitzaiola. Hortzak estutzen zituen masailezurra dardaraz jartzeraino eta bularreko arnasaren faltan bezala hasten zen puzka; eta begiak gorritu egiten zitzaizkion, geldi eta txiki, tabernetako istilu eta liskarretan labana ateratzen zuenean bezalaxe... kontra egiteagatik, hari eroaldi hura areagotua etortzea besterik ez genuen lortu, egun osoan urduri eduki zuena, emakumea ikusi genuen une beretik. Madarikatua burutazio hura izan genuen unea!"

Kasu zipitzik egin gabe korridorean aurrera abiatu zen berriro, biraoak eta erronkak ahots osoz botaz, batere behartu gabe zabaltzen ziren ateak ostikoz zabalduz, guztiak ez giltza eta ez maratila zeudela bistakoa zen. Gela haietako batzuetan sartu ginen mundu honetako arimarik topatu gabe. Etxe hartan, nonbait, ez zegoen inor, eta niri zegokidanez, norbait agertzea desioago nuen, zela edozein, kristo guztiarekin kolpeka eta labankadaka ibiltzea, gela haietako isiltasun hura baino, guztiak gauza gozoz eta mahai jarriz beteak, otordu handietarako bezala, dena piztuta, eta bertan inork lo egiten ez zuen ohe haiek, egin berriak bezala...

Ahohandi hortzak estututa zihoan, bularreko arnasak ziztua joaz, oheetako arropak ezpataren puntarekin astintzen zituen, labankadak jotzen zizkien heraldika-oihalei, armairuak takateko batez zabaltzen zituen. Eta horrelaxe, hura eta hori, iritsi ginen goizean kanpoko aldetik ikusi genuen galeriara.

Barrutik leku handikoa zen eta landarez mukuru zegoen haietako bat korapiloan igoa zegoen sabaia estaltzeraino. Bete-betean iristen zen beiretara ilargia. Generaman kriseilua amatatu genuen eta han murgildua gelditu zen agertuen gauza balitz bezalako ilunbista zurixka hartan.

—"Iritsi gaituk honaino, Xan, eta goazik" —erregutu nion ahots sendoz—. "Honela ezin dik honek ondo bukatu. Galeria azpian zegok eta erraz egin zezakeagu salto..."

Orduan ikusi genituen etxe barruan, korridorearen bukaeran, mugitzen ziren argiak. Ahohandik itxi zuen, giltzari kanpotik barrura buelta emanaz, eta presaka abiatu ginen jaisteko ustez egokiago zitekeen galeriaren amaieraren bila. Ate atzetik ahots zaratak entzuten hasi ginen eta hari egindako bultzadizo batzuk. Eta hartantxe Xan, beti bezala aurrean zihoana, ez bai eta ez baina gelditu zen, gero gure aldera egin zuen totelka:

—"Hor zegok, hor zegok!"

Bada egia zen...! Hosto handiz beteriko landare baten atzean zegoen andre ederra, ilargiz bete, lorategira begira, goizean bezalaxe, besoak luzatuta, begiak geldi eta handiak, mundu honetan ikusi den gauzarik ederrena bezala. Hainbeste hurbildu gintzaizkion, beldurra eta guzti ematen zigula arnasa hartzeak. Niri halakoxe taupadak ematen zizkidan bihotzak bular zuloan kanpotik derrigorrez entzun egin behar zela iruditzen zitzaidala. Gurpildun aulki batean eserita zegoen eta ume bat zeukan magalean. Ahohandi atera zen lahar artetik, bere ondora iritsi zitzaion esanaz:

—"Señora, ez dezazula beldurrik izan, ezer ez dizugu egingo eta..." —ikusi orduko berak deiadarren bat egitea espero genuen, baina ez ezer esan zuen eta ez mugitu egin zen. Milagizon, niri itsatsia zumea bezala ari zen dardarka, eta ni izerdi patsetan geunden udaren gogorrenean bezala. Halakoxea zen gure lilura konturatu ere ez ginela egiten atean jotzen ari ziren danbatekoez eta zer esaten zuen ez zekien atso zahar ahotsez entzuten ziren deiadarrez:

—Voler, voler, secur, secur...! edo antzeko zerbait.

Xanciñok señorari begiratzen zion, tenteldua, negarrari ekitera doan mutikoaren mutturra ematen duenaren irribarrearekin, baina madamak, ez klisk eta ez klask egiten zuen, propio hilda bezalaxe.

—"Señora..." —esan zion oraindik eskutik heltzen menturatuz. Baina heldu zion orduko askatu zuen, erre egin balu bezalaxe. Mugimendu horrekin umea lurrera erori zen eta puskatu egin zen zoruko axuleiuetan. Ahohandik, bere onera etorrita, zakarkeriaz gogor heldu zion lepatzetik ito egin behar balu bezala, eta emakumea albo batera okertu zen, osorik, okertu gabe, beso luzeekin eta esku zabalekin.

—"Munduratu ninduen ama madarikatua! Ero putakume alaena!" —oihukatu zuen Ahohandik. Eta aulkiari ostikada ikaragarri bat emanaz señora lurrera bota zuen, eta hantxe gelditu zen eserita zegoeneko tankera berdinean, begiak zabalik ilargiz dirdiran. Pauso batzuk eman eta gero ere artean itzuli egin zen, eta, amorrazioz beterik, bitan sartu zuen takoia panpinaren aurpegian eta zuloz beteta utzi zuen, beltz eta izugarri, burezur puskatu bat bezalaxe.

Atsedenik gabe iritsi ginen galeriaren bukaerara eta han lorategira zihoan eskailera bat zegoen, ia brinko bakarrean jaitsi genuena... Handik pasatu ginen jendea argiekin galerian sartzen bistaratzen hasi ginenean. Ahal bezala zuloan behera jaitsi ginen, zeren jende hura beste alde batetik sartu zen eta ia erdi-erdian harrapatu gintuen. Eta korrikari eman genion arnasa hartzeko betarik gabe geltokira inguratu ginen arte...

V. KAPITULUA

—

—Ez jauna, Mandazelaira geroago joan ginen. Hasieran geltoki aldera joan ginen. Ez dakit esana dudan tren mistoa hartzeko asmoa genuela, berorrek dioenez, goizeko bostetan pasatzen dena, istilua pixka bat baretu arte Monfortera joateko... Eta konpontzen ez bazen Asturias aldera joatekoa ere esan genuen, antza denez lan ona topa baitaiteke bertan ikatz meatzetan, eta gainera ez dute galdetzen nondik zatozen edo nor zaren.

Baina Zubi Nagusia pasa genuenean Tripotx topatu nuen, mandagurdia duena, orduantxe ari zen etxe aurrean lotzen. Tripotxek estimatu egiten nau txikitatik ezagutzen nauelako, aitaren lankide izan baitzen Cadizen kalegarbitzaile ibili zirenean. Mandoen atzetik atera zen besteak pasa zirenean, ni atzean geratzen ari bainintzen oinengatik, eta aparte hartu ninduen esateko hobe genuela geltokira ez joatea, guardia zibilaren pareja han zebilkigula bila. Esan zidan baita ere, ahalik eta urrunenera egiteko hanka, herrian zabalduta zegoela guk egindakoa... eta hori artean guztia jakiteke. Baina azaldu zidan Ahohandik Balbino Tipularekin Putzuren tabernan izandako borrokaz gain, pazoko sutea ere leporatzen zigutela, eta sute izugarria izan omen zen; ganadu ugari hil zela eta ukuiluetan ziren zerri gizenduak ere, suak eragindako kalteez gain, eta harrapatzen bagintuzten bertan hilko gintuztela makilkadaka justiziaren zain egon beharrik gabe...

Orduan, eskerrak eman nizkion, jendearen jardunaren adinakoa ez zela esan ondoren, besteei esatera alde egin nuen. Ahohandik hasieran garrantzia kendu nahi izan zion arazoari, baina, nolanahi ere, atzera buelta eman genuen. Berriro zubiaren gainetik pasatzerakoan "pentsamendu" eraso bat etorri zitzaidan, hain ustekabekoa, ia-ia petrila saltatu eta neure burua ibaira botatzekotan egon nintzela. Hauxe ere ez nuen behar izan horretarako une hartan ez bainintzen nire buruaren jabe izan... Uste dut lokietara etorri zitzaidan hotz hark salbatu ninduela, bai eta hanketako ahuleziak ere, konortea galtzeko bezala... Eskerrak joan zitzaidan.

Zubiaren bestaldera heltzerakoan Milagizonek pattarra ekarri zuen Sakristauaren tabernatik; ataurrean ari zen hilaren zazpiko azokarako prestatzen, han gertu izaten baita eta laster hasiko baitziren ferianteak pasatzen. Bi botila, behar genituen flakiarik ez izateko. Lehenbizikoari, ibiltzeari utzi gabe ikusi genion ipurdia, iturriko ura bezala; batzuetan horrela edaten baitu batek, ez edateagatik, baizik eta indarrak galduta pott eginda ez gelditzeko botika bat irensten duenaren antzera.

Ordurako ez nekien nire buruarekin zer egin, eta galdurik nengoen. Amarengan, umearengan, Pinttoarengan pentsatzen nuen, heriotzaren bestaldetik gogoratuko banitu bezala. Hain nengoen aldatua horren denbora laburrean, zerikusirik ez nuela neronekin, aurreko egunean izan nahi nuen gizonarekin, neskalagunarekin bakeak egin eta aurrerantzean gizon langileen modura, etxekoekin, bizitzeko erabakia hartu zuen gizonarekin... Hondamendia atera zitzaidan bide erdira zoritxarreko haien laguntzan eta sekula egin ez eta pentsatu ere ez nituen kontutan sarturik nengoen. Eta min handiena ematen zidana zen, gizon zintzoa izatea erabakitakoan, justu praktikan jarri behar nuenean, hori dena gertatzen zitzaidala, patu txarrak debekatuko balit bezala. Baina orain izorratu da guztia, madarikatua neu eta neure patu txarra!

—

—Bai jauna, bai; konturatzen naiz alferrekoa dela orain lantua jotzea, baina zerbaitetarako balio dit, ito nahi nauen bularreko pisu honetatik, eta hona ekarri nindutenetik bakean uzten ez nauen "pentsamenduaren" joan-etorritik libratzeko... eta gainera itolarri honetatik ateratzeko edaririk gabe... Eta eskerrak berori ona izan den eta ez duen utzi kuartelillora eraman nazaten, zeren han "pentsamenduak" guztiz erotuko ninduke eta. Izan beza kontu berorrek gizon gazte batek, bere gauzak osorik izaki, ezin duela jasan bere aita ez den beste gizon batek aurpegian behin eta berriro jotzea, bien arteko haserrerik egon gabe, kolpeak ezin bueltatuz, eskuburdinez loturik gordetzen zaituzten bezala gordeta, eta ez zait buruan sartzen nola izan daitekeen gizona horren zitala eta ama txarrekoa, ezer esan ez eta egin ez dion gizona horrela jipoitzeko defendatu ezin denean, hori ez da ez justizia eta ez kristo gero, eta berorrekiko begirunea iraindu gabe...

—

—Arrazoi du... Disimula beza... Baina berorrek ez daki zer den horrelako halako amaren kume kankailu baten eskutan egotea, dotore janzten delako joka hasten zaizu, zu, herriko semea, eta ostiaka aurpegian, edo zigorkadaka bizkarrean, baita ostikoka beste horretan ere, barkatu esatea, zintzilikarioetan ez esateagatik, ijitoa banintz bezala. Eta gainera zuri barre eta burla egiten eta hori bihotzaren erdian jotzea bezala da, min gehien ematen duen tokian; eta, dena, loturik zaituztelako animalien antzera, ezin mugiturik... Baina zin dagiot jauna, kartzelara joan behar bada, joango garela, presondegira joan behar bada joango garela, huts egin duenak ordaindu egin behar baitu, halakorik egiteko asmorik ez bazuen ere, horrelakoa baita gizonen justizia, eta zer egingo diogu ba... Baina atzera kuartelillora bidaltzen banau, edoski nuen esneagatik zin egiten diot...

—

—Arrazoi aski du, eta jainkoak ordain biezaio nirekin duen pazientzia, baina kanpotarra izateko aintzakotza dezentea du berorrek, eta ez mandamas putakume horrek bezala, maragatoa izan behar zuen, bai...

—

—Ez jauna, ez naiz mututu.... Amorru handia eman didate berorren oihu horiek, berorren kontrako ezer ez baitut esan, ezta pentsatu ere, Jainkoak libra nazala... Eta maldizio edo antzekoren bat bota badut, izan beza kontuan nire moduko gizon baten egoera, nahi duena izango naiz baina ez naiz sekula justizia kontutan sarturik egon, eta horrenbeste ordu eman ditut inor ikusi gabe, horko judu horiek ez badira! Jan gabe, edan eta lo egin gabe, handik hona bultzatua, galdetu eta erantzuten utzi ez, eta hitz eginez gero berbak irentsi behar, ur tanta bat bera ere eskatzeko aukerarik gabe, neure kontuak ere haien begien aurrean egin beharrean...

—

—Bai jauna. Ulertu dut, eta berorrek agindu bezala egingo dut, ez gehiago...

...Pattar trago haiek, bada, indarrak piztu zizkiguten, berriro ere, baina ez aurrekoetan bezainbeste, zeren edanetan ito behar genituenak gero eta handiagora zihoazen. Nik behintzat, argi neukan ezin nuela edaten jarraitu, urdaila sutan nuelako, eta besteek ni bezain erasanda ziruditen... Aurretik zihoazen, beti bezala, gerritik helduta eta alaitasun itxura eginaz eta dena parrandaren kontua zela eta pasatuko zela beste gehiegikeria eta erokeriak pasa ziren bezala besteetan...

Aldirietako mahastiak zeharkatzen zituzten herritik

aparteko bideetan genbiltzan, eta Milagizonen ahotsa ateratzen zen, neskalaguntzako hizketa balitz bezalako jardun zabukarian. Mozkor pausoan zihoazen manta buru gainetan botata eta batak besteari bultzadatxoak ematen zizkioten elkar kilimatuz eta ukituka. Horrelakoetan profitatzen zuen Milagizonek bestearen mozkorra, Xanciñok bere onean zegoenean ez baitzion uzten, edo gutxienik ez horrelako zerrikerietaraino, gizonen kontuak ere ez dira eta; halare, hainbestetan haiekin egon ondoren nik jakin ezin izan dudana da Ahohandik bestea profita zedin edaten ote zuen ala Milagizonek edanarazten zion probetxua hartzeko. Esan dezakedana da bietako inor ez zela mozkortzen bestea gabe, inoiz ez zirela ikusi elkarrengandik aparte edo bakoitza beste inoren konpainian mozkortuta. Misterio honetaz hitz egin ohi zen tabernetan. Baina harrapatzen zutenean, goizxeago ala beranduxeago elkar jo ala ferekatzeko imintzio horietan hasten ziren eta ez zegoen hura ulertuko zuen kristorik.

Deabru guztien hotza zegoen. Hankak larrututako bezalako mina neukan eta oinetakoak kendu eta beldur nintzen hainbeste ibiltzearekin eginda neukan txikizioa ikusteko, txokoloek urratutako ospelekin eta zaurietako odolak eta zorneak zikindutako galtzerdiekin...

Eta horrela une batean ezin izan nuen gehiago eta gorputza erortzen utzi nuen, Jainkoaren eskutan, berdin baitzitzaidan hau ala hura... Ahulezia handia nuen gorputzean eta zirimolak buruan, zorabioak, eta bueltaka hasi zitzaidan dena, ez nekien minaren nekea ala zurrutarena zen. Besteak konturatu zirenean bila etorri zitzaizkidan eta ia zintzilik eraman ninduten. Ahohandik, animatzeko, berak ezagutzen zuen aterpe batetik gertu geundela esaten zidan, han deskantsatuko genuela eta besteen begietatik aparte hitz egin ahal izango genuela...

Ahohandi oso arraro zegoen, bat-batean alai eta konfiantzaz beterik agertzen zen eta segidan haserre eta zalantzaz betea. Ez zen fidatzekoa, bera zolitasun handikoa eta faltsukeriarik okerrenerako gizona zen eta. Bestetan ez bezala berak ematen zuen hartuena, ibilkera eta berbetan. Gainera, hirurotatik, zentzunik galduenarekin bera zegoen, halatan non batzuetan guztiz edana ematen zuen ibilkeran bezala esanean. Egun osoan erabili zuen seta, ilundu zenetik eta setatsuago, emakume batekin egon nahiarena zen, hori ezin genion kendu burutik. Eta andrakila suertatu zen andrearena gertatu zitzaionetik amorrazioa areagotu egin zitzaion... Ahohandi temoso jartzen zenean, arima salbu, bere onetik ateratako piztia bilakatzen zen, eta hura geraraziko zuen kristaurik ez zegoen. Normalean zituen haur begi handiak gogor eta zorrotz jartzen zitzaizkion, zezenarenak bezala, eta hitz egiten zuen gutxia hortz artean egiten zuen, masailezurrak estuturik, hizketan beharrean marmarrean arituko balitz bezala, eta arreta osoa jarri behar zen esaten zuena zerbait ulertzeko. Eta behin eta berriro errepikatzen zuen, hitz motelka:

Milagizon ere lantuan ari zen hotzarekin zauria gaiztotu eta konkortxo gorri bat atera baitzitzaion kokotean odol lehorreko kostrez inguratua. Edandakoaren bere hizketa totelarekin Ahohandik esaten zuen:

—"Kasuen zotz! Puta ez den andre batekin egon behar diat! Lagun onak bazinate..."

—"Horren beharrean egongo haiz hi!" erantzuten zion besteak, burlaren eta erresuminaren arteko ahotsez.

Eta horrela gindoazen aurrera, balantzaka, amaierarik ez zuela zirudien bide hartatik... Tarteka geratu egiten ziren eta botilari astindua ematen zioten, ez dakit nola agoanta zezaketen hainbeste gorputz haiek. Marikallak, nik ahulen ikusten nuenak, hirurotan gehien agoantatzen ari zen: Ahohandik trago bakoitzaren ondoren eztarria gogor garbitu, sua bertan balu bezala, eta berriro ekiten zion zerri lantuari:

—"...esan dizuet bada, puta ez den emakume batekin egon behar dudala...!"

—"Zer arraio egingo duk hik, arimarekin ere ezin duk eta, hitz-jario arraioa? Zertako nahi duk andrea? Tira, emaiok musu honi....! Eta botila hortzen kontra estutzen zion, eta gehiago zen paparretik behera erortzen zitzaiona hartzen zuena baino.

Azkenerako haiengandik apartatu nintzen, bien erdian baininderamaten, eta atzetik nola edo hala segitu nahiago izan nien. Pattar usaina uzten zuten atzean, kolonia oso fuertearekin nahasia; Milagizonek jaun eroaren etxean hartutako ontzi txiki batetik botatzen zion goitik behera eta bi usain nahastu haiek goragalea ematen zidaten urdailaren ahoan, denak zuen usain berbera, aireak, jantziek, zigarroaren keak.... Bat batean Ahohandi geratu egin zen albo batera begira, eta buruan asmo berri bat izan balu bezala, hesi baten gainetik pasa eta, ezer esan gabe, Atsoen Abadearen soroa zeharkatzen duen bideari ekin zion. Ibilkeragatik, urrats luzeak ia korrika, buruan ideiaren bat bazuela konturatu nintzen erokeria berria bururatu zitzaiola. Beti egiten zuen berdin. Haizeak hala jotzen zionean pentsatu ere ez zuen egiten eta berehala ekiten zion. Arriskutsuagoa eta gogo handiagoa jartzen zuen. Horrela zihoan, zuzen, tente, erabakita, ibilkera ere edan ez balu bezalaxe zuzendu zitzaion eta lanak genituen hari segitzen.

Horrela ailegatu ginen Mandazelaira, berorrek dioen bezala, kalegarbitzaileek herriko zaborra botatzen duten tokira.

Lurra, tarte batzuetan, botatako euriak bera eginda zegoen oraindik, gehiago pila berrietan, eta oinak zango erdiraino sartzen zitzaizkigun zabor muinotan, ustel usaina zerion zelai hartan. Zelaiguneak gogor eta labainak zeuden izotzagatik, hobe zen, beraz, zakarren gainetik joatea.

Soroaren erdian putzu handi edo urmael sakon samarra egiten du euriak, eta udan euli eta ezparez betetzen da eta kiratsak inguru osoa kutsatzen du, horregatik han izurriteak eta guzti sortu dira, diotenez. Simaur pila artean izoztua zegoen orain, oraindik zerbait falta arren Santa Ladaiña mendi atzetik ia ezkutatu zen ilargia medio, eta dizdiz egiten zuen lurrindutako ispiluaren antzera.

Ezer esan ez banuen ere, toki hartara heldutakoan kristau gaizto hark buruan zuena susmatzen hasi nintzen, sinesten ausartzen ez banintzen ere.

Han dagoen txabola batean, zabor zelaiaren ertzetik zerbait aldendua, eta urki berri batzuek erdi estalia, Socorrito bizi zen, eroa.... Ezaguna izango du berorrek entzunez, gure herrian denbora pixka bat eman duen edonork ezagutu eta estimatu behar du eta. Gaztea da oraindik andrea, polita, altuera onekoa eta ederra, egiten duen bizimoduak kalteak eragin badizkio ere. Duela urte batzuk agertu zen Auriako kaleetan, nondik ez dakigun eroak agertu ohi diren bezala, trapuzko umea bularraren kontra estuturik zuela, titia emanez bezala. Heldu zenean, Socorritok larru fin eta zuria zuen, eta ilea beltz eta kizkurra, eta erori beharrean buruaren inguruan geratzen zitzaion koroaren antzera. Era onekoa zen hizketan eta beti gazteleraz mintzatzen zen, andre nekazariek burua galtzen dutenean egiten duten modura. Kaleko neska ematen zuen hala ere, jantziak beti ondo zaindurik, bereak ez zirela nabarmendu arren eta mugimendu goxo hura ibiltzerakoan; eta irribarrea hortz zuri eta berdinekoa. Handik gutxira jende guztiak maite zuen eta jatekoa eta janztekoa ematen zizkioten nahiz harraraztea zaila gertatu askotan; esaten zien bera ez zela eskatzen ibiltzekoa eta mantel zuriko mahaitan eta neskameak zerbitzatuta jaten ohitua zela; dena bere fantasia eta asmakizunak, eromenak eraginak... Jantzien kontuan berari emandako soineko bakoitzeko haurrarentzako beste bat eman behar izaten zitzaion, baina nahikoa zuen edozein puska, atzamarra estaltzeko balio ez bazuen ere. Eta gauzak hartzen zituenean ez zuen sekula eskerrik ematen, gainerakoan oso ondo hezia bazen ere, benetako andre printzipalen modura; eta esaten zuen "administradorea igorriko zuela kontua ordaintzera" Socorrito gajoa! Jende zintzo batzuek etxean hartzen saiatu ziren, baina eramaten zutenean oroimina sortzen zitzaion osasuna galtzeraino eta jenio bizia agertzen zuen, eta berriro libre utzi behar izaten zuten... Orduan, herriko kale garbitzaileek gurdiak eta erratzak gordetzeko erabiltzen zuten txabola hartara itzultzen zen eta han bizi zen sehaskez inguraturik, arotzek lau oholez egindakoak edo berak eskuratutako kutxekin eginak; zeren, esaten zuenez, hogei ume izan behar zituen, bakoitza gizon batekin eta denak mutikoak... zerratzaile portugaldar batek behartu zuenetik erotu zela, umetan bortxatu zuela, han bere herrian, Lobeira aldean eta antzekoak esaten zituzten...

Auriako mutil gazteok txantxa maitekorrak egiten genizkion, horrenbeste umeren ama izan nahi horrekin, eta galdera egiten genion, kastrapoz noski:

—"Socorrito, noiz egin behar dugu umea?" Eta orduan berak, galdegilearengana hurbildu eta apur baten usaindu ondoren, erantzuten zuen:

—"Ezin dut zure umerik izan, usain txarra duzu eta. Barkatu!"

Ostera, itxura oneko jauntxo dotoreren bat pasatzen zenean, emaztearekin joan arren, hurbildu egiten zitzaion eta samurtasun handiz esaten zion:

—"Zelako usain goxoa duzun! Noiz egin behar didazu umea?"

—"Bihar Socorrito, bihar, gaur presaturik nabil eta", izaten zen erantzun errukitsu eta batzuetan tristaturikoa.

Kanpotarren bati negarrak ere eman zion hau gertatu eta gero kontua argitu ziotenean. Socorrito gaixoa!

—

—Hala uste nuen, ezagutu behar zuela berorrek eta ez niola ezer berririk kontatuko. Baina horrenbeste zerrikeriaren erdian gustukoa nuen bera aipatzea zeren...

—

—Ondo da, bai, jauna.... Orduan Ahohandik perfume potea eskatu zion Milagizoni eta burutik behera bota zuen gelditzen zen guztia. Gero botilari beste astinaldi bat eman zion, hustu eta beregandik urrun bota zuen. Eta segidan ibiltzeari ekin zion, hankak ondo zabaldurik, tinkatu nahian.

—"Nora hoa hi horrela?" oihukatu zion Milagizonek, ezer susmatu gabe nonbait. Besteak ez zion erantzun, eta aurrera jarraitu zuen, zakar pilatan estropezuka... "Itxoin ezak, hirekin niak".

—"Hi ez haiz inora etorriko" —erantzun zion Xanek, une batez geldirik eta gauzak esateko zuen modu berezi harekin; kontra egiteak borrokan egiteko prest egotea suposatzen zuen.

—"Tximistak joko al hau!", amaitu zion Milagizonek, lurrean etzanez eta lotarako bezala mantan bildurik.

Oraindik ikusten zen bestearen itzala, pilatan, txabolakoa ez zen norabidean aurrera. Hala ere, buruan zer zuen seguru nengoenez, guztiz urduritu nintzen eta bere atzetik joan nahi izan nuen gogoeta batzuk eginarazteko. Baina seguruen borrokan egin beharko nuen eta zutik egoteko ere ez nuen indarrik, are gutxiago halako piztiatzarrarekin borrokatzeko, barruan nuen edari guztia baretzeko ez bainintzen gauza.

Milagizonek erdi lo zirudien. Mozkorraren eraginez andreek prozesioetan abesten dituzten koplak hausnartzen zituen hortz artean... Ezinegonak larritzen ninduen, susmatzen nuena gertatzen utziz gero bizitza osorako karga izango nuen kontzientzian. Ederki nekien nik hori bera saiatutako beste koldar eta mihiluze batzuk esanda, Socorrito indartsua eta ausarta zela eta afruntuetatik bere burua defendatzeko gai zela. Eta bestetik, hain gaizki erabiltzeko jainkoak eman zion arima aparte, konturatzen nintzen, pizti hura ondo ezagutzen nuenez, señorito usaina izateko usain-gozoa botatzearen amarruak huts egiten bazion edozein astakeria egiteko aski zela.

Handik laster ilunpetan galdu zen. Niri dagokidanez, hori guztia buruan izan arren, hain nengoen ahiturik, lurrera erori orduko dena ametsetan bezala ikusten hasi nintzela. Ilargia lehentxeago desagertua zen: Zerua oskarbi zegoen eta amorrazioz ari zuen izotzak. Lurretik lainoaren antzeko lurrina altxatzen zen, eta zoru gainean gelditu. Mendialaiko gailurretatik egunaren lehen argiak agertzen ziren, motel oraindik. Zakar muinoen artean arratoi handi ugari zebilen, gure ondoko zaborrak arakatzen zituzten eta batzuetan gure gainetik pasatzen zitzaizkigun, gorpuak bagina bezala.

Bertan hil behar banu bezalaxe sentitu nuen neure burua. Ezin nuen jakin neke hura hainbeste hondatutako gorputzaren kontua ote zen ala bestela zetorkidan "pentsamenduarena". Baina zena zela, pentsamenduaren ateetan sentitzen nintzen, bata zein bestea berdin zitzaidalarik, eta oraingoan bukaerarik ez zuela zirudien zorabio hartara egiten zidan bultza, haizea behar eta mundu honetako ezergatik ezingo banu bezala, joanez, joanez joatea bezalatsu... eta, zentzumen osoz, amaren oroimenari, neure umearenari eutsi nahi izan nion, baina ez nuen lortzen, guztiz hustu nintzen kontzientzia zorabiatu izan balitzait bezala; eta gainera "pentsamendua" etorri zitzaidan modu horretan eta harengandik aldentzeko gogorik gabe, bestetan ez bezala gogoak ematen zidan horrela joaten uzteko, heriotzan gelditu arte, oraingoan horrek ez baininduen beldurtzen...

—

—Bai jauna, han segitzen zuen, nire ondoan. Horrela gelditu zen, mantan kiribilduta, paparra lotu eta begi itxian. Baina, ikusten denez, ez zegoen lo. Noizean behin luzatu eta burua alboetara mugitzen zuen kulunkatuko balitz bezala, eta emakumeek elizan kantatzen dituzten letaniak hausnartzen jarraitu zuen. Horrelako batean jauzi egin eta lau hankatan jarrita gorputzean zeraman guztia hustu zuen, okada bakoitzean lantua joaz. Tripaz gora etzan zen gero, sabela oinazearen oinazez igurtzitzen zuela. Artean argi gutxi zegoenez pospoloa piztu nuen eta ezpainak odoletan zituela ikusi nuen, eta aurpegia zurbil eta izerditan.... Astiro zetorren eguna, lurreko gauzak ez ziren bereizten ondo lanbrope hartan…

Eta halako batean ikaragarrizko garrasia, emakumezko ahotsa, urrunean entzun nuen. Jauzian jaiki nintzen bigarren oihu, gogorragoa, entzun genuenean. Gehiago entzun ziren gero, laburragoak, itoak bezala. Nire aldamenean zegoen Milagizon, bera ere behaka. Izualdiak beldurra uxatu zigun.

—“Zer duk hori?”, galdetu zuen jakin nahian bezala.

—“Zer izango duk bada! Piztia gaizto hori, Socorritorekin zagok...” Esatearekin bat korrika hasi nintzen, hanka zaurituek uzten zidaten hainbat, malda baten ondoren handik berrehun metro barru zegoen txabola ingurura, zabor tartean erorika-jaikika. Horretan, Milagizonek aldamenetik aurrea hartu zidan eskuan labana irekia zeramala. Auskalo nondik indarra atereaz haren parera heldu nintzen. Korrikari utzi gabe besotik heldu nion eta inoiz ikusi gabe nion aurpegiaz bueltatu zitzaidan, egiten duenaren jabe ez dena bezala.

—“Denak batera ordainduko zizkidak kabroi horrek...!”

—“Geldi hor, Aladio, gizatxar horrek galdu egingo hau!”

Eta orduantxe nigandik libratzeko eskuturrean eman zidan labankada honetatik odola burbuilaka ateratzen hasi zitzaidan.

Hala ere, ez nuen askatu eta elkarrekin ailegatu ginen txabolara, eta elkarrekin jaitsi genuen inguratzen duen eremua, halako indarrez, zabal-zabalik ireki zen atearen kontra ia jo arte.

Ahohandi agertu zen, zoko ilunetik zutituz, galtzak erdi jasoan eta albo batetik sabeleko azal zuria agerian... Munduko hitzik esan gabe, gainera joan zitzaion Milagizon, labana sartu zion eta alborantz ebaki zuen, atera eta berriro beheragо sartzeko, bere parteak zauritzeko asmotan, barka beza berorrek. Ahohandi aurreraka kuzkurtu zen eta odoldutako eskuak sabelera eraman zituen zauriaren aho ikaragarritik ateratzen zitzaizkion gauza zurisken multzo guzti hura biltzekotan... Zutik iraun nahi izan zuen artean, baina albora erori zen, kiribildua eta hura dena bere kontra estutuz...

Milagizon irten eta korrika abiatu zen... Neuk ere korrikari ekin nion, baina oso bide gutxian, geratzen zitzaizkidan indar urriak agortu zitzaizkidalako, ikusitako desgraziarekin galtzen ari nintzen odolagatik. Aladiok, itsututa joan behar, urmaelerantz jo zuen eta izotz gainean pauso batzuk ematen ikusi nuen; kristal hotsa atera zuen apurtzerakoan eta hondoratu egin zen, oihuka, desagertu arte...

—

Eta horrela aurkitu ninduten kale garbitzaileek, geroago jakin dudanez... Indarrik gabe erori izan ez banintz, gorputzean neukan tristuragatik eta galdu nuen odolagatik, neu etorriko nintzen justizia abisatzera, ez dudalako batere zerikusirik heriotza horien kasuan, ez bada nire aurrean gertatuak direla, nik ezer egin ezinik... Sentitzen dut horrelako heriotza izatea, ni bezain kristauak baitziren, baina, ondo merezia zuten, merezi eta horren bila zebiltzala ere esan liteke...

Hauxe. Eta ez daukat gehiago esatekorik, Jaunak barka gaitzala guztiok...

—

—Bai jauna, bai. Hori bera da. Gutxitan ikusi diot baina badirudi horixe dela Aladio Milagizonen labana.

—

—Jakina, jauna; badirudiela diot, lehenago ez niolako ikusi eta zeramanik ere ez nekielako, une batean besterik ez nion ikusi eskuan, korrika gindoazenean eta eskuturrean sartu zidanean. Hori den ala ez, berorrek dioenez, "delituko erreminta", litekeena dela esango nuke baina ez nuke zin egingo.

—

—Tontakeria da hori, eta fede txarrekoa eta guzti ematen du, inor iraindu gabe! Ni ez naiz labana gizona, herriko guztiek esan dezakete... Eta egin beza berorrek mesede...!

—

— Ez, jauna, ez dut ezer eta ez zait ezertxo ere gertatzen…

—

—Ez jauna, ez naiz deiadarka ari eta ez daukat deiadarka zer ariturik, baina asko amorrarazi nau labanaren gainean berorrek iradoki duen horrek... Gainera, esana dago guztia, eta ez dago zer amorrarazirik esan duena eta dakiena baino gehiago galdetuz… Esana daukat eta kito! "Pentsamenduak" indarrez jotzen didanean, orain bezala, goseagatik edo egarriagatik izango da, bi egun izango baititut mokadurik probatu gabe, edo gauza hauei hainbeste buelta ematen aritzeagatik…! Bakean uztea da nik behar dudana, nik ezin dut gehiago… ze, munduratu ninduen amagatik…!

—

—Ez, ez, ez; hori ez, jauna...! Jainkoarren eskatzen diot, berorrenengatik, berorrek gehien maite dituenengatik!... Bertan belauniko eskatzen diot! Ez, ez nazatela hauek eraman...! Ez noala! Kuartelillora naramatela..! Aska nazazue, asasino sasikumeok...!

Cipriano Canedok edo Cibranek, edo Castizok, edo... jauzi batez, labana eskuratu ahal izan zuen mahai gainetik eta saihespean sartu zuen. Horrelako jendea baitago, "pentsamenduaz" libratu ahal izateko beren baitan hil behar izaten dute; hala ere, sekula ez zen argi gelditu herriko jendearen artean labankadaz hil ote zen ala han bertan Benemeritako bikoteak emandako kolpeen ondorioz...

Nire osaba "ministroak", pertsona ordenazalea eta, lanbidearen zioz erraz pentsa daitekeenez, ziurtasun judizialetara oso emana, hortz artean esaten zuen Castizo kopeta apurtuta eraman zutela handik eta, biharamunean, eskobatzerakoan, mahai ondoan aurkitu zituela tantatxo batzuk, zorne edo buru barruan ditugun muinetakoak ere izan zitezkeenak".

Horiexek ziren behintzat haren hitzak...